MW00607986

Charles Dickens

Der Weihnachtsabend

Eine Weihnachtsgeschichte

Charles Dickens: Der Weihnachtsabend. Eine Weihnachtsgeschichte

Erstdruck 1843. Hier in der Übersetzung von Julius Seybt, 1877.

Vollständige Neuausgabe mit einer Biographie des Autors
Herausgegeben von Karl-Maria Guth
Berlin 2016, 2. Auflage

Umschlaggestaltung von Thomas Schultz-Overhage unter Verwendung des Bildes: Der dritte Besucher, John Leech, 1843.

Gesetzt aus der Minion Pro, 11 pt

Die Sammlung Hofenberg erscheint im
Verlag der Contumax GmbH & Co. KG, Berlin
Herstellung: BoD - Books on Demand, Norderstedt

ISBN 978-3-8430-2508-9

Bibliografische Information der Deutschen Nationalbibliothek

Die Deutsche Nationalbibliothek verzeichnet diese Publikation in der Deutschen Nationalbibliografie; detaillierte bibliografische Daten sind im Internet über www.dnb.de abrufbar.

1. Marleys Geist

Marley war tot, damit wollen wir anfangen. Ein Zweifel darüber kann nicht stattfinden. Der Schein über seine Bestattung wurde von dem Geistlichen, dem Küster, dem Leichenbesorger und den vornehmsten Leidtragenden unterschrieben. Scrooge unterschrieb ihn und Scrooges Name wurde auf der Börse respektiert, wo er ihn nur hinschrieb. Der alte Marley war so tot wie ein Thürnagel.

Merkt wohl auf! Ich will nicht etwa sagen, daß ein Thürnagel etwas besonders Totes für mich hätte. Ich selbst möchte fast zu der Meinung geneigt sein, ein Sargnagel sei das toteste Stück Eisenwerk auf der Welt. Aber die Weisheit unsrer Altvordern liegt in dem Gleichnisse und meine unheiligen Hände sollen sie dort nicht stören, sonst wäre es um das Vaterland geschehen. Man wird mir daher erlauben, mit besonderem Nachdruck zu wiederholen, daß Marley so tot wie ein Thürnagel war.

Scrooge wußte, daß er tot war? Natürlich wußte er's. Wie konnte es auch anders sein? Scrooge und er waren, ich weiß nicht seit wie vielen Jahren, Handlungsgesellschafter. Scrooge war sein einziger Testamentsvollstrecker, sein einziger Administrator, sein einziger Erbe, sein einziger Freund und sein einziger Leidtragender. Und selbst Scrooge war von dem traurigen Ereignis nicht so entsetzlich gerührt, daß er selbst an dem Begräbnistage nicht ein vortrefflicher Geschäftsmann gewesen wäre und ihn mit einem unzweifelhaft guten Handel gefeiert hätte.

Die Erwähnung von Marleys Begräbnistag bringt mich zu dem Ausgangspunkt meiner Erzählung wieder zurück. Es ist ganz unzweifelhaft, daß Marley tot war. Das muß scharf ins Auge gefaßt werden, sonst kann in der Geschichte, die ich eben erzählen will, nichts Wunderbares geschehen. Wenn wir nicht vollkommen fest überzeugt wären, daß Hamlets Vater tot ist, ehe das Stück beginnt, würde durchaus nichts Merkwürdiges in seinem nächtlichen Spaziergang bei scharfem Ostwind auf den Mauern seines eignen Schlosses sein. Nicht mehr, als bei jedem andern Herrn in mittleren Jahren, der sich nach Sonnenuntergang rasch zu einem Spaziergang auf einem luftigen Platze, zum Beispiel Sankt Pauls Kirchhof, entschließt, bloß um seinen schwachen Sohn in Erstaunen zu setzen.

Scrooge ließ Marleys Namen nicht ausstreichen. Noch nach Jahren stand über der Thür des Speichers »Scrooge und Marley.« Die Firma war unter dem Namen Scrooge und Marley bekannt. Zuweilen nannten Leute, die ihn noch nicht kannten, Scrooge Scrooge und zuweilen Marley; aber er hörte auf beide Namen, denn es war ihm ganz gleich.

O, er war ein wahrer Blutsauger, der Scrooge! ein gieriger, zusammenscharrender, festhaltender, geiziger alter Sünder; hart und scharf wie ein Kiesel, aus dem noch kein Stahl einen warmen Funken geschlagen hat; verschlossen und selbstbegnügt und für sich, wie eine Auster. Die Kälte in seinem Herzen machte seine alten Züge erstarren, seine spitze Nase noch spitzer, sein Gesicht von Runzeln, seinen Gang steif, seine Augen rot, seine dünnen Lippen blau, und klang aus seiner krächzenden Stimme heraus. Ein frostiger Reif lag auf seinem Haupt, auf seinen Augenbrauen, auf den starken kurzen Haaren seines Bartes. Er schleppte seine eigene niedere Temperatur immer mit sich herum; in den Hundstagen kühlte er sein Comptoir wie mit Eis; zur Weihnachtszeit wärmte er es nicht um einen Grad.

Äußere Hitze und Kälte wirkten wenig auf Scrooge. Keine Wärme konnte ihn wärmen, keine Kälte ihn frösteln machen. Kein Wind war schneidender als er, kein fallender Schnee mehr auf seinen Zweck bedacht, kein schlagender Regen einer Bitte weniger zugänglich. Schlechtes Wetter konnte ihm nichts anhaben. Der ärgste Regen, Schnee oder Hagel konnten sich nur in einer Art rühmen, besser zu sein als er: Sie gaben oft im Überfluß, und das that Scrooge nie.

Niemals trat ihm jemand auf der Straße entgegen, um mit freundlichem Gesicht zu ihm zu sagen: Mein lieber Scrooge, wie geht's, wann werden Sie mich einmal besuchen? Kein Bettler sprach ihn um eine Kleinigkeit an, kein Kind frug ihn, welche Zeit es sei, kein Mann und kein Weib hat ihn je in seinem Leben um den Weg gefragt. Selbst der Hund des Blinden schien ihn zu kennen, und wenn er ihn kommen sah, zupfte er seinen Herrn, daß er in ein Haus trete und wedelte dann mit dem Schwanze, als wollte er sagen: kein Auge ist besser, als ein böses Auge, blinder Herr.

Doch was kümmerte das Scrooge? Gerade das gefiel ihm. Allein seinen Weg durch die gedrängten Pfade des Lebens zu gehen, jedem menschlichen Gefühl zu sagen: bleib' mir fern, das war das, was Scrooge gefiel.

Einmal, es war von allen guten Tagen im Jahre der beste, der Christabend, saß der alte Scrooge in seinem Comptoir. Es war draußen schneidend kalt und nebelig und er konnte hören, wie die Leute im Hofe draußen prustend auf und nieder gingen, die Hände zusammenschlugen und mit den Füßen stampften, um sich zu erwärmen. Es hatte eben erst Drei geschlagen, war aber schon ganz finster. Den ganzen Tag über war es nicht hell geworden und aus den Fenstern der benachbarten Comptoirs erblickte man Lichter, wie rote Flecken auf der dicken, braunen Luft. Der Nebel drang durch jede Spalte und durch jedes Schlüsselloch und war draußen so dick, daß die gegenüber stehenden Häuser des sehr kleinen Hofes wie ihre eignen Geister aussahen. Wenn man die trübe, dicke Wolke, alles verfinsternd, heruntersinken sah, hätte man meinen können, die Natur wohne dicht nebenan und braue *en gros*.

Die Thür von Scrooges Comptoir stand offen, damit er seinen Commis beaufsichtigen könne, welcher in einem unheimlich feuchten, kleinen Raume, einer Art Burgverließ, Briefe kopierte. Scrooge hatte nur ein sehr kleines Feuer, aber des Dieners Feuer war um so viel kleiner, daß es wie eine einzige Kohle aussah. Er konnte aber nicht nachlegen, denn Scrooge hatte den Kohlenkasten in seinem Zimmer und allemal, wenn der Diener, mit der Kohlenschaufel in der Hand, hereinkam, meinte der Herr, es würde wohl nötig sein, daß sie sich trennten, worauf der Diener seinen weißen Shawl umband und versuchte, sich an dem Lichte zu wärmen, was, da er ein Mann von nicht zu starker Einbildungskraft war, immer fehlschlug.

»Fröhliche Weihnachten, Onkel, Gott erhalte Sie!« rief eine heitere Stimme. Es war die Stimme von Scrooges Neffen, der ihm so schnell auf den Hals kam, daß dieser Gruß die erste Ankündigung seiner Annäherung war.

»Pah«, sagte Scrooge, »dummes Zeug!«

Der Neffe war vom schnellen Laufen so warm geworden, daß er über und über glühte; sein Gesicht war rot und hübsch, seine Augen glänzten und sein Atem rauchte.

»Weihnachten dummes Zeug, Onkel?« sagte Scrooges Neffe, »das kann nicht Ihr Ernst sein.«

»Es ist mein Ernst«, sagte Scrooge. »Fröhliche Weihnachten? Was für ein Recht hast du, fröhlich zu sein? was für einen Grund, fröhlich zu sein? Du bist arm genug.«

»Nun«, antwortete der Neffe heiter, »was für ein Recht haben Sie, grämlich zu sein? was für einen Grund, mürrisch zu sein? Sie sind reich genug.«

Scrooge, der im Augenblick keine bessere Antwort bereit hatte, sagte noch einmal »Pah!« und brummte ein »Dummes Zeug!« hinterher.

»Seien Sie nicht bös, Onkel«, sagte der Neffe.

»Was soll ich anders sein«, antwortete der Onkel, »wenn ich in einer Welt voll solcher Narren lebe? Fröhliche Weihnachten! Der Henker hole die fröhlichen Weihnachten! Was ist Weihnachten für dich anders, als ein Tag, wo du Rechnungen bezahlen sollst, ohne Geld zu haben, ein Tag, wo du dich um ein Jahr älter und nicht um eine Stunde reicher findest, ein Tag, wo du deine Bücher abschließest und in jedem Posten durch ein volles Dutzend von Monaten ein Deficit siehst? Wenn es nach mir ginge«, sagte Scrooge heftig, »so müßte jeder Narr, der mit seinem fröhlichen Weihnachten herumläuft, mit seinem eigenen Pudding gekocht und mit einem Pfahl von Stecheiche im Herzen begraben werden.«

»Onkel!« sagte der Neffe.

»Neffe!« antwortete der Onkel heftig, »feiere du Weihnachten nach deiner Art und laß es mich nach meiner feiern.«

»Feiern!« wiederholte Scrooges Neffe; »aber Sie feiern es nicht.«

»Laß mich ungeschoren«, sagte Scrooge. »Mag es dir Nutzen bringen! viel genützt hat es dir schon.«

»Es giebt viel Dinge, die mir hätten nützen können und die ich nicht benutzt habe, das weiß ich«, antwortete der Neffe, »und Weihnachten ist eins von denen. Aber ich weiß gewiß, daß ich Weihnachten, wenn es gekommen ist, abgesehen von der Verehrung, die wir seinem heiligen Namen und Ursprung schuldig sind, immer als eine gute Zeit betrachtet habe, als eine liebe Zeit, als die Zeit der Vergebung und Barmherzigkeit, als die einzige Zeit, die ich in dem ganzen langen Jahreskalender kenne, wo die Menschen einträchtig ihre verschlossenen Herzen aufthun und die andern Menschen betrachten, als wenn sie wirklich Reisegefährten nach dem Grabe wären und nicht eine ganz andere Art von Geschöpfen, die einen ganz andern Weg gehen. Und daher, Onkel, ob es mir gleich niemals ein Stück Gold oder Silber in die Tasche gebracht hat, glaube ich doch, es hat mir Gutes gethan und es wird mir Gutes thun, und ich sage: Gott segne es!«

Der Diener in dem Burgverließe draußen applaudierte unwillkürlich; aber den Augenblick darauf fühlte er auch die Unschicklichkeit seines Betragens, schürte die Kohlen und verlöschte den letzten kleinen Funken auf immer.

»Wenn *Sie* mich noch einen einzigen Laut hören lassen«, sagte Scrooge, »so feiern Sie Ihre Weihnachten mit dem Verlust Ihrer Stelle. Du bist ein ganz gewaltiger Redner«, fügte er hinzu, sich zu seinem Neffen wendend. »Es wundert mich, daß du nicht ins Parlament kommst.«

»Seien Sie nicht bös, Onkel. Essen Sie morgen mit uns.«

Scrooge sagte, daß er ihn erst verdammt sehen wollte, ja wahrhaftig, er sprach sich ganz deutlich aus.

»Aber warum?« rief Scrooges Neffe, »warum?«

»Warum hast du dich verheiratet?« sagte Scrooge.

»Weil ich mich verliebte.«

»Weil er sich verliebte!« brummte Scrooge, als ob das das einzige Ding in der Welt wäre, noch lächerlicher als eine fröhliche Weihnacht. »Guten Nachmittag!«

»Aber, Onkel, Sie haben mich ja auch nie vorher besucht. Warum soll es da ein Grund sein, mich jetzt nicht zu besuchen?«

»Guten Nachmittag!« sagte Scrooge.

»Ich brauche nichts von Ihnen, ich verlange nichts von Ihnen, warum können wir nicht gute Freunde sein?«

»Guten Nachmittag!« sagte Scrooge.

»Ich bedaure wirklich von Herzen, Sie so hartnäckig zu finden. Wir haben nie einen Zank miteinander gehabt, an dem ich schuld gewesen wäre. Aber ich habe den Versuch gemacht, Weihnachten zu Ehren und ich will meine Weihnachtsstimmung bis zuletzt behalten. Fröhliche Weihnachten, Onkel!«

»Guten Nachmittag!« sagte Scrooge.

»Und ein glückliches Neujahr!«

»Guten Nachmittag!« sagte Scrooge.

Aber doch verließ der Neffe das Zimmer ohne ein böses Wort. An der Hausthür blieb er noch stehen, um mit dem Glückwunsche des Tages den Diener zu begrüßen, der bei aller Kälte doch noch wärmer als Scrooge war, denn er gab den Gruß freundlich zurück.

»Das ist auch so ein Kerl«, brummte Scrooge, der es hörte. »Mein Diener, mit fünfzehn Schilling die Woche und Frau und Kindern, spricht von fröhlichen Weihnachten. Ich gehe nach Bedlam.«

Der Diener hatte, indem er den Neffen hinausließ, zwei andere Personen eingelassen. Es waren zwei behäbige, wohlansehnliche Herren, die jetzt, den Hut in der Hand, in Scrooges Comptoir standen. Sie hatten Bücher und Papiere in der Hand und verbeugten sich.

»Scrooge und Marley, glaube ich«, sagte einer der Herren, indem er auf seine Liste sah. »Hab' ich die Ehre, mit Mr. Scrooge oder mit Mr. Marley zu sprechen?«

»Mr. Marley ist seit sieben Jahren tot«, antwortete Scrooge. »Er starb heute vor sieben Jahren.«

»Wir zweifeln nicht, daß sein überlebender Compagnon ganz seine Freigebigkeit besitzen wird«, sagte der Herr, indem er sein Beglaubigungsschreiben hinreichte.

Er hatte auch ganz recht, denn es waren zwei verwandte Seelen gewesen. Bei dem ominösen Wort Freigebigkeit runzelte Scrooge die Stirn, schüttelte den Kopf und gab das Papier zurück.

»An diesem festlichen Tage des Jahres, Mr. Scrooge«, sagte der Herr, eine Feder ergreifend, »ist es mehr als gewöhnlich wünschenswert, einigermaßen wenigstens für die Armut zu sorgen, die zu dieser Zeit in großer Bedrängnis ist. Vielen Tausenden fehlen selbst die notwendigsten Bedürfnisse, Hunderttausenden die notdürftigsten Bequemlichkeiten des Lebens.«

»Giebt es keine Gefängnisse?« fragte Scrooge.

»Überfluß von Gefängnissen«, sagte der Herr, die Feder wieder hinlegend.

»Und die Union-Armenhäuser?« fragte Scrooge. »Bestehen sie noch?«

»Allerdings. Aber doch«, antwortete der Herr, »wünschte ich, sie brauchten weniger in Anspruch genommen zu werden.«

»Tretmühle und Armengesetz sind in voller Kraft«, sagte Scrooge.

»Beide haben alle Hände voll zu thun.«

»So? Nach dem, was Sie zuerst sagten, fürchtete ich, es halte sie etwas in ihrem nützlichen Laufe auf«, sagte Scrooge. »Ich freue mich, das zu hören.«

»In der Überzeugung, daß sie doch wohl kaum fähig sind, der Seele oder dem Leib der Armen christliche Stärkung zu geben«, antwortete der Herr, »sind einige von uns zur Veranstaltung einer Sammlung zusammengetreten, um für die Armen Nahrungsmittel und Feuerung anzuschaffen. Wir wählen diese Zeit, weil sie vor allen andern eine Zeit ist, wo der Mangel am bittersten gefühlt wird und der Reiche sich freut. Welche Summe soll ich für Sie aufschreiben?«

»Nichts«, antwortete Scrooge.

»Sie wünschen ungenannt zu bleiben?«

»Ich wünsche, daß man mich zufrieden lasse«, sagte Scrooge. »Da Sie mich fragen, was ich wünsche, meine Herren, so ist das meine Antwort. Ich freue mich selbst nicht zu Weihnachten und habe nicht die Mittel, mit meinem Gelde Faulenzern Freude zu machen. Ich trage meinen Teil zu den Anstalten bei, die ich genannt habe; sie kosten genug, und wem es schlecht geht, der mag dorthin gehen!«

»Viele können nicht hingehen und viele würden lieber sterben.«

»Wenn sie lieber sterben würden«, sagte Scrooge, »so wäre es gut, wenn sie es thäten, und die überflüssige Bevölkerung verminderten. Übrigens, Sie werden mich entschuldigen, weiß ich nichts davon.«

»Aber Sie könnten es wissen«, bemerkte der Herr.

»Es geht mich nichts an«, antwortete Scrooge. »Es genügt, wenn ein Mann sein eigenes Geschäft versteht und sich nicht in das anderer Leute mischt. Das meinige nimmt meine ganze Zeit in Anspruch. Guten Nachmittag, meine Herren!«

Da sie deutlich sahen, wie vergeblich weitere Versuche sein würden, zogen sich die Herren zurück. Scrooge setzte sich wieder mit einer erhöhten Meinung von sich selbst und in einer besseren Laune, als gewöhnlich, an die Arbeit.

Unterdessen hatten Nebel und Finsternis so zugenommen, daß Leute mit brennenden Fackeln herumliefen, um den Wagen vorzuleuchten. Der Kirchturm, dessen brummende alte Glocke immer aus einem alten gotischen Fenster in der Mauer gar schlau auf Scrooge herabsah, wurde unsichtbar und schlug die Stunden und Viertel in den Wolken mit einem zitternden Nachklang, als wenn in dem erfrorenen Knopf droben die Zähne klapperten. Die Kälte wurde immer schneidender. In der Hauptstraße an der Ecke der Sackgasse wurden die Gasröhren ausgebessert und die Arbeiter hatten ein großes Feuer in einer Kohlenpfanne angezündet, um welche sich einige zerlumpte Männer und Knaben drängten, sich die Hände wärmend und mit den Augen blinzelnd vor der behaglichen Flamme. Die Wasserröhre, sich selbst überlassen, strömte ungehindert ihr Wasser aus; aber bald war es zu Eis erstarrt. Der Schimmer der Läden, in denen Stecheichenzweige und Beeren in der Lampenwärme der Fenster knisterten, rötete die bleichen Gesichter der Vorübergehenden. Die Gewölbe der Geflügel- und Materialwarenhändler sahen aus wie ein glänzendes, fröhliches Märchen, mit dem es fast unmöglich schien, den Gedanken von einer so ernsten Sache, wie

Kauf und Verkauf, zu verbinden. Der Lord Mayor gab in den innern Gemächern des Mansion-House seinen fünfzig Köchen und Kellermeistern Befehl, Weihnachten zu feiern, wie es eines Lord Mayors würdig ist, und selbst der kleine Schneider, den er am Montage vorher wegen Trunkenheit und öffentlich ausgesprochenen Blutdurstes um fünf Schilling gestraft hatte, rührte den morgenden Pudding in seinem Dachkämmerchen um, während sein abgemagertes Weib mit dem Säugling auf dem Arm ausging, um den Rinderbraten zu kaufen.

Immer nebeliger und kälter wurde es, durchdringend, schneidend kalt. Wenn der gute, heilige Dunstan des Gottseibeiuns Nase nur mit einem Hauch von diesem Wetter gefaßt hätte, anstatt seine gewöhnlichen Waffen zu brauchen, dann würde er erst recht gebrüllt haben. Der Inhaber einer kleinen, jungen Nase, benagt und angebissen von der hungrigen Kälte, wie Knochen von Hunden benagt werden, legte sich an Scrooges Schlüsselloch, um ihn mit einem Weihnachtslied zu erfreuen. Aber bei dem ersten Tone des Liedes ergriff Scrooge das Lineal mit einer solchen Energie, daß der Sänger voll Schrecken entfloh und das Schlüsselloch dem Nebel und der noch verwandteren Kälte überließ.

Endlich kam die Feierabendstunde. Unwillig stieg Scrooge von seinem Sessel und gab dem harrenden Diener in dem Verließ stillschweigend die Einwilligung, worauf dieser sogleich das Licht auslöschte und den Hut aufsetzte.

»Sie wollen den ganzen Tag morgen haben, vermute ich«, sagte Scrooge.

»Wenn es Ihnen paßt, Sir.«

»Es paßt mir nicht«, sagte Scrooge, »und es gehört sich nicht. Wenn ich Ihnen eine halbe Krone dafür abzöge, würden Sie denken, es geschähe Ihnen unrecht, nicht?«

Der Diener antwortete mit einem gezwungenen Lächeln.

»Und doch«, sagte Scrooge, »denken Sie nicht daran, daß mir unrecht geschieht, wenn ich einen Tag Lohn für einen Tag Faulenzen bezahle.«

Der Diener bemerkte, daß es nur einmal im Jahre geschähe.

»Eine armselige Entschuldigung, um an jedem fünfundzwanzigsten Dezember eines Mannes Tasche zu bestehlen«, sagte Scrooge, indem er seinen Überrock bis an das Kinn zuknöpfte. »Aber ich vermute, Sie wollen den ganzen Tag frei haben. Sie werden den ganzen Vormittag hier sein.«

Der Diener versprach, daß er kommen wolle und Scrooge ging mit einem Brummen fort. Das Comptoir war in einem Nu geschlossen und der Diener, die langen Enden seines weißen Shawls über die Brust herabhängend (denn er konnte sich keines Überrocks rühmen), fuhr zu Ehren des Festes als der Letzte einer Reihe von Knaben zwanzigmal auf einer Glander Cornhill hinunter und lief dann so schnell als möglich in seine Wohnung in Camden-Town, um dort Blindekuh zu spielen.

Scrooge nahm sein einsames, trübseliges Mahl in seinem gewöhnlichen einsamen, trübseligen Gasthause ein; und nachdem er alle Zeitungen gelesen und sich den Rest des Abends mit seinem Bankjournal vertrieben hatte, ging er nach Haus schlafen. Er wohnte in den Zimmern, welche seinem verstorbenen Compagnon gehört hatten. Es war eine düstere Reihe von Zimmern in einem niedrigen, finstern Gebäude in einem Hofe, wo es so wenig an seinem Platze stand, daß man fast hätte glauben mögen, es habe sich dorthin verlaufen, als es noch ein junges Haus war und mit andern Häusern Versteckens spielte, und sich nicht wieder herausfinden können. Es war jetzt alt und öde genug, denn niemand wohnte dort, außer Scrooge, da die andern Räume alle als Geschäftslokale vermietet waren. Der Hof war so dunkel, daß selbst Scrooge, der jeden Stein desselben kannte, seinen Weg mit den Händen fühlen mußte. Der Nebel und der Frost hing so dick und schwer um den schwarzen alten Thorweg des Hauses, als ob der Genius des Wetters in trauerndem Nachsinnen auf der Schwelle säße.

Nun ist es ausgemacht, daß an dem Klopfer der Hausthür ganz und gar nichts Besonderes war, als seine Größe. Auch ist es ausgemacht, daß Scrooge ihn jeden Abend und jeden Morgen, seitdem er das Haus bewohnte, gesehen hatte, und daß Scrooge so wenig Phantasie besaß als irgend jemand in der City von London, mit Einschluß – wenn es erlaubt ist, das zu sagen – des Stadtrats, der Aldermen und der Zünfte. Man vergesse auch nicht, daß Scrooge, außer heute Nachmittag, mit keinem Wörtchen an seinen seit sieben Jahren verstorbenen Compagnon gedacht hatte. Und nun soll mir jemand erklären, warum Scrooge, als er seinen Schlüssel in das Thürschloß steckte, in dem Klopfer, ohne daß er sich verändert hätte, keinen Thürklopfer, sondern Marleys Gesicht sah.

Ja, Marleys Gesicht. Es war nicht von so undurchdringlichem Dunkel umgeben, wie die andern Gegenstände im Hofe, sondern von einem unheimlichen Lichte, wie eine verdorbene Hummer in einem dunklen

Keller. Er blickte ihm nicht wild oder zürnend entgegen, sondern sah Scrooge an, wie ihn Marley gewöhnlich ansah: mit der gespenstischen Brille auf die gespenstische Stirn hinauf geschoben. Das Haar stand seltsam in die Höhe, wie von Wind oder heißer Luft gehoben; und obgleich die Augen weit offen standen, waren sie doch ohne alle Bewegung. Das und die leichenhafte Farbe machten das Gesicht schrecklich; aber seine Schrecklichkeit schien mehr, außerhalb des Gesichts und nicht in seiner Macht, als ein Teil seines Ausdrucks zu sein.

Als Scrooge fest auf die Erscheinung blickte, war es wieder ein Thürklopfer.

Zu sagen, er wäre nicht erschrocken, oder sein Blut hätte nicht ein grausendes Gefühl empfunden, das ihm seit seiner Kindheit unbekannt geblieben war, wäre eine Unwahrheit. Aber er faßte sich gewaltsam, legte die Hand wieder auf den Schlüssel, drehte ihn um, trat in das Haus, und zündete sein Licht an.

Aber doch zögerte er einen Augenblick, ehe er die Thür schloß, und er guckte erst vorsichtig dahinter, als fürchte er wirklich, mit dem Anblick von Marleys Zopf erschreckt zu werden. Aber hinter der Thür war nichts, als die Schrauben, welche den Klopfer fest hielten; und so sagte er: »Bah, bah!« und warf sie zu.

Der Schall klang durch das Haus wie ein Donner. Jedes Zimmer oben, und jedes Faß in des Weinhändlers Keller unten schien mit seinem besondern Echo zu antworten. Scrooge war nicht der Mann, der sich durch Echos erschrecken ließ. Er schloß die Thür zu, ging über die Hausflur und die Treppe hinauf, und zwar langsam, und das Licht heller machend, während er hinaufging.

Die Treppe war breit genug, um eine Bahre der Quere hinaufzubringen, und das ist vielleicht die Ursache, warum Scrooge glaubte, er sähe vor sich eine Bahre sich hinaufbewegen. Ein halbes Dutzend Gaslampen von der Straße aus würden den Eingang nicht zu hell gemacht haben, und so kann man sich denken, daß es bei Scrooges kleinem Lichte ziemlich dunkel blieb.

Scrooge aber ging hinauf und kümmerte sich keinen Pfifferling darum. Dunkelheit ist billig, und das hatte Scrooge gern. Aber ehe er seine schwere Thür zumachte, ging er durch die Zimmer, um zu sehen, ob alles in Ordnung sei. Er erinnerte sich des Gesichtes noch gerade genug um das zu wünschen.

Wohnzimmer, Schlafzimmer, Gerätkammer, alles war, wie es sein sollte. Niemand unter dem Tische, niemand unter dem Sofa; ein kleines Feuer auf dem Rost, Löffel und Teller bereit und das kleine Töpfchen Suppe (Scrooge hatte den Schnupfen) an dem Feuer. Niemand unter dem Bett, niemand in dem Alkoven, niemand in seinem Schlafrock, der auf eine ganz verdächtige Weise an der Wand hing. Die Gerätkammer wie gewöhnlich. Ein alter Kaminschirm, alte Schuhe, zwei Fischkörbe, ein dreibeiniger Waschtisch und ein Schüreisen.

Vollkommen zufriedengestellt machte er die Thür zu und schloß sich ein und riegelte noch zu, was sonst seine Gewohnheit nicht war. So gegen Überraschung sichergestellt, legte er seine Halsbinde ab, zog seinen Schlafrock und die Pantoffeln an, setzte die Nachtmütze auf und setzte sich so vor das Feuer, um seine Suppe zu essen.

Es war wirklich ein sehr kleines Feuer, so gut wie gar keins in einer so kalten Nacht. Er mußte sich dicht daran setzen und sich darüber hinbeugen, um das geringste Wärmegefühl von einer solchen Handvoll Kohlen zu genießen. Der Kamin war vor langen Jahren von einem holländischen Kaufmann gebaut worden und ringsum mit seltsamen holländischen Fliesen mit biblischen Bildern belegt. Da sah man Kain und Abel, Pharaos Töchter, Königinnen von Saba, Engel durch die Luft auf Wolken gleich Federbetten herabschwebend, Abraham, Belsazar, Apostel in See gehend auf Butterschiffen, Hunderte von Figuren, seine Gedanken zu beschäftigen; und doch kam das Gesicht Marleys wie der Stab des alten Propheten, und verschlang alles andere. Wenn jedes glänzende Flies weiß gewesen wäre und die Macht gehabt hätte, aus den vereinzelten Fragmenten seiner Gedanken ein Bild auf seine Fläche zu zaubern, auf jedem wäre ein Abbild von des alten Marleys Gesicht erschienen.

»Dummes Zeug!« sagte Scrooge und schritt durch das Zimmer.

Nachdem er einigemal auf und ab gegangen war, setzte er sich wieder nieder. Wie er den Kopf in den Stuhl zurücklegte, fiel sein Auge wie von ungefähr auf eine Klingel, eine alte, nicht mehr gebrauchte Klingel, welche zu einem jetzt vergessenen Zweck mit einem Zimmer in dem obersten Stockwerk des Hauses in Verbindung stand. Zu seinem großen Erstaunen und mit einem seltsamen unerklärlichen Schauer sah er, wie die Klingel anfing sich zu bewegen; erst bewegte sie sich so wenig, daß sie kaum einen Ton von sich gab; aber bald schellte sie laut und mit ihr jede Klingel des Hauses.

Das mochte eine halbe Minute oder eine Minute gedauert haben, aber es schien eine Stunde zu sein. Die Klingeln hörten gleichzeitig auf, wie sie gleichzeitig angefangen hatten. Dann vernahm man ein Klirren, tief unten, als ob jemand eine schwere Kette über die Fässer in des Weinhändlers Keller schleppe. Jetzt erinnerte sich Scrooge gehört zu haben, daß Gespenster Ketten schleppen sollten.

Die Kellerthür flog mit einem dumpfdröhnenden Schall auf und dann hörte er das Klirren viel lauter auf der Hausflur unten; dann wie es die Treppe herauf kam; und dann wie es gerade auf seine Thür zukam.

»'s ist dummes Zeug«, sagte Scrooge. »Ich glaube nicht dran.«

Aber doch veränderte er die Farbe, als es, ohne zu verweilen, durch die schwere Thür und in das Zimmer kam. Als es herein trat, flammte das sterbende Feuer auf, als ob es riefe, ich kenne ihn, Marleys Geist! und sank wieder zusammen.

Dasselbe Gesicht, ganz dasselbe. Marley mit seinem Zopf, seiner gewöhnlichen Weste, den engen Hosen und hohen Stiefeln; die Quasten der letztern standen zu Berge, wie sein Zopf und seine Rockschöße und das Haar auf seinem Kopfe. Die Kette, welche er hinter sich her schleppte, war um seinen Leib geschlungen. Sie war lang und ringelte sich wie ein Schwanz; und war, denn Scrooge betrachtete sie sehr genau, aus Geldkassen, Schlüsseln, Schlössern, Hauptbüchern, Kontrakten und schweren Börsen aus Stahl zusammengesetzt. Sein Leib war durchsichtig, so daß Scrooge durch die Weste hindurch die zwei Knöpfe hinten auf seinem Rock sehen konnte.

Scrooge hatte oft sagen gehört, Marley habe kein Herz im Leibe, aber er glaubte es erst jetzt.

Nein, er glaubte es selbst jetzt noch nicht. Obgleich er das Gespenst durch und durch und vor sich stehen sah; obgleich er den kältenden Schauer seiner totenstarren Augen fühlte und selbst den Stoff des Tuches erkannte, welches um seinen Kopf und sein Kinn gebunden war und das er früher nicht bemerkt hatte, war er doch noch ungläubig und sträubte sich gegen das Zeugnis seiner Sinne.

»Nun«, sagte Scrooge, kaustisch und kalt wie gewöhnlich, »was wollt Ihr?«

»Viel!« Das war Marleys Stimme.

»Wer seid Ihr?«

»Fragt mich, wer ich *war*.«

»Nun, wer waret Ihr?« sagte Scrooge lauter.

»Als ich lebte, war ich Euer Compagnon, Jakob Marley.«

»Könnt Ihr Euch setzen?« fragte Scrooge, ihn zweifelnd ansehend.

»Ich kann es.«

»So thut's.«

Scrooge that die Fragen, weil er nicht wußte, ob ein so durchsichtiger Geist sich werde setzen können, und fühlte die Notwendigkeit einer unangenehmen Erklärung, wenn es ihm nicht möglich wäre. Aber der Geist setzte sich auf der andern Seite des Kamins nieder, als wenn er es gewohnt wäre.

»Ihr glaubt nicht an mich?« sagte der Geist.

»Nein«, sagte Scrooge.

»Welches Zeugnis wollt Ihr, außer dem Eurer Sinne, von meiner Wirklichkeit haben?«

»Ich weiß nicht«, sagte Scrooge.

»Warum glaubt Ihr Euren Sinnen nicht?«

»Weil sie eine Kleinigkeit stört«, sagte Scrooge. »Eine kleine Unpäßlichkeit des Magens macht sie zu Lügnern. Ihr könnt ein unverdautes Stück Rindfleisch, ein Käserindchen, ein Stückchen schlechter Kartoffel sein. Wer Ihr auch sein mögt, Ihr habt mehr vom Unterleib, als von der Unterwelt an Euch.«

Es war nicht eben Scrooges Gewohnheit, Witze zu machen, auch fühlte er eben jetzt keine besondere Lust dazu. Die Wahrheit ist, daß er sich bestrebte lustig zu sein, um sich zu zerstreuen und sein Entsetzen niederzuhalten; denn die Stimme des Geistes machte selbst das Mark seiner Knochen erzittern.

Nur einen Augenblick schweigend diesen starren, toten Augen gegenüber zu sitzen, wäre halber Tod gewesen, das fühlte Scrooge wohl. Auch war es so grauenerregend, daß das Gespenst seine eigene höllische Atmosphäre hatte. Scrooge fühlte sie nicht selbst, aber doch mußte es so sein; denn obgleich das Gespenst ganz regungslos dasaß, bewegten sich seine Haare, seine Rockschöße und seine Stiefelquasten wie von dem heißen Dunst eines Ofens.

»Ihr seht diesen Zahnstocher«, sagte Scrooge, aus dem eben angeführten Grunde seinen Angriff sogleich wieder beginnend und von dem Wunsche beseelt, wenn auch nur für einen Augenblick den starren, eisigen Blick des Gespenstes von sich abzuwenden.

»Ja«, antwortete der Geist.

»Ihr seht ihn ja nicht an«, sagte Scrooge.

»Aber ich sehe ihn doch«, sagte das Gespenst.

»Gut«, erwiderte Scrooge. »Ich brauche ihn nur hinunterzuschlucken und mein ganzes übriges Leben hindurch verfolgen mich eine Legion Kobolde, die ich selbst erschaffen habe. Dummes Zeug, sag' ich, dummes Zeug!«

Bei diesen Worten stieß das Gespenst einen schrecklichen Schrei aus und ließ seine Kette so grauenerregend und fürchterlich klirren, daß Scrooge sich fest an seinen Stuhl halten mußte, um nicht in Ohnmacht herunterzufallen. Aber wie wuchs sein Entsetzen, als das Gespenst das Tuch von dem Kopf nahm, als wäre es ihm zu warm im Zimmer, und die Unterkinnlade auf die Brust herabsank.

Scrooge fiel auf die Kniee nieder und schlug die Hände vors Gesicht.

»Gnade!« rief er. »Schreckliche Erscheinung, warum verfolgst du mich?«

»Mensch mit der irdisch gesinnten Seele«, entgegnete der Geist, »glaubst du an mich, oder nicht?«

»Ich glaube«, sagte Scrooge, »ich muß glauben. Aber warum wandeln Geister auf Erden und warum kommen sie zu mir?«

»Von jedem Menschen wird es verlangt«, antwortete der Geist, »daß seine Seele unter seinen Mitmenschen wandle, in der Ferne und in der Nähe; und wenn dieser Geist nicht während des Lebens hinausgeht, so ist er verdammt, es nach dem Tode zu thun. Er ist verdammt, durch die Welt zu wandern – ach, wehe mir – und zu sehen, was er nicht teilen kann, was er aber auf Erden hätte teilen und zu seinem Glück anwenden können.«

Und wieder stieß das Gespenst einen Schrei aus und schüttelte seine Ketten und rang die schattenhaften Hände.

»Du bist gefesselt«, sagte Scrooge zitternd. »Sage mir, warum?«

»Ich trage die Kette, die ich während meines Lebens geschmiedet habe«, sagte der Geist. »Ich schmiedete sie Glied nach Glied und Elle nach Elle; mit meinem eigenen freien Willen lud ich sie mir auf und mit meinem eigenen freien Willen trug ich sie. Ihre Glieder kommen dir seltsam vor.«

Scrooge zitterte mehr und mehr.

»Oder willst du wissen«, fuhr der Geist fort, »wie schwer und wie lang die Kette ist, die du selbst trägst? Sie war gerade so lang und so schwer, wie diese hier, vor sieben Weihnachten. Seitdem hast du daran gearbeitet. Es ist eine schwere Kette.«

Scrooge sah auf den Boden herab, in der Erwartung, von fünfzig oder sechzig Klaftern Eisenketten sich umschlungen zu sehen; aber er sah nichts.

»Jakob«, sagte er flehend. »Jakob Marley, sage mir mehr. Sprich mir Trost ein, Jakob.«

»Ich habe keinen Trost zu geben«, antwortete der Geist. »Er kommt von anderen Regionen, Ebenezer Scrooge, und wird von andern Boten zu andern Menschen gebracht. Auch kann ich dir nicht sagen, was ich dir sagen möchte. Ein klein wenig mehr ist alles, was mir erlaubt ist. Nirgendwo kann ich rasten oder ruhen. Mein Geist ging nie über unser Comptoir hinaus – merke wohl auf – im Leben blieb mein Geist immer in den engen Grenzen unsrer schachernden Höhle; und weite Reisen liegen noch vor mir.«

Scrooge hatte die Gewohnheit, wenn er nachdenklich wurde, die Hand in die Hosentasche zu stecken. Über das, was der Geist sagte, nachsinnend, that er es auch jetzt, aber ohne die Augen zu erheben, oder vom Stuhl aufzustehen.

»Du mußt dir aber viel Zeit genommen haben, Jakob«, bemerkte er mit dem Tone eines Geschäftsmannes, obgleich mit vieler Demut und Ehrerbietung.

»Viel Zeit!« sagte der Geist.

»Sieben Jahre tot«, sagte sinnend Scrooge. »Und die ganze Zeit über gereist.«

»Die ganze Zeit«, sagte der Geist. »Ohne Frieden, ohne Ruhe und mit den Qualen ewiger Reue.«

»Du reisest schnell«, sagte Scrooge.

»Auf den Schwingen des Windes«, sagte der Geist.

»Du hättest eine große Strecke in sieben Jahren bereisen können«, sagte Scrooge.

Als der Geist dies hörte, stieß er wieder einen Schrei aus und klirrte so gräßlich mit seiner Kette durch das Grabesschweigen der Nacht, daß ihn die Polizei mit vollem Rechte wegen Ruhestörung hätte bestrafen können.

»O, gefangen und gefesselt«, rief das Gespenst, »nicht zu wissen, daß Zeitalter von unaufhörlicher Arbeit sterblicher Geschöpfe vergehen, ehe das Gute, dessen die Erde fähig ist, sich entwickeln kann; nicht zu wissen, daß ein christlicher Geist, und wenn er auch in einem noch so kleinen Kreise von Liebe wirkt, in diesem Erdenleben sich selbst belohnende Arbeit genug finden kann! Aber ich wußte es nicht, ach, ich wußte es nicht!«

»Aber du warst immer ein guter Geschäftsmann, Jakob«, stotterte Scrooge zitternd, der jetzt anfing, das Schicksal des Geistes auf sich selbst anzuwenden.

»Geschäft!« rief das Gespenst, seine Hände abermals ringend. »Der Mensch war mein Geschäft. Das allgemeine Wohlsein war mein Geschäft; Barmherzigkeit, Versöhnlichkeit und Liebe, alles das war mein Geschäft. Alles, was ich in meinem Gewerbe that, war nur ein kleiner Tropfen Wasser in dem weiten Ocean meines Geschäftes.«

Er hielt seine Kette vor sich hin, als ob dies die Ursache seines nutzlosen Schmerzes gewesen wäre, und warf sie wieder dröhnend nieder.

»Zu dieser Zeit des schwindenden Jahres«, sagte das Gespenst, »leide ich am meisten. Warum ging ich mit zur Erde blickenden Augen durch das Gedränge meiner Mitmenschen und wendete meinen Blick nie zu dem gesegneten Stern empor, der die Weisen zur Wohnung der Armut führte? Gab es keine arme Hütte, wohin mich sein Licht hätte leiten können?«

Scrooge hörte mit Entsetzen das Gespenst so reden und fing an gar sehr zu zittern.

»Höre mich«, rief der Geist. »Meine Zeit ist fast vorüber.«

»Ich will hören«, sagte Scrooge. »Aber mache es gnädig mit mir! Werde nicht hitzig, Jakob, ich bitte dich.«

»Wie es kommt, daß ich vor dich in einer dir sichtbaren Gestalt treten kann, weiß ich nicht. Viele, viele Tage habe ich unsichtbar neben dir gesessen.«

Das war kein angenehmer Gedanke. Scrooge schauderte und wischte sich den Schweiß von der Stirn.

»Es ist kein leichter Teil meiner Buße«, fuhr der Geist fort. »Heute Nacht komme ich zu dir, um dich zu warnen, daß noch für dich eine Möglichkeit vorhanden ist, meinem Schicksal zu entgehen. Eine Möglichkeit und eine Hoffnung, die du mir zu verdanken hast.«

»Du bist immer mein guter Freund gewesen«, sagte Scrooge. »Ich danke dir.«

»Drei Geister«, fuhr das Gespenst fort, »werden zu dir kommen.« Bei diesen Worten wurde Scrooges Angesicht noch trauriger als das des Gespenstes.

»Ist das die Möglichkeit und die Hoffnung, die du genannt hast, Jakob?« fragte er mit bebender Stimme.

»Ja.«

»Ich – ich sollte meinen, das wäre eben keine Hoffnung«, sagte Scrooge.

»Ohne ihr Kommen«, sagte der Geist, »kannst du nicht hoffen, den Pfad zu vermeiden, den ich verfolgen muß. Erwarte den ersten morgen früh, wenn die Glocke Eins schlägt.«

»Könnte ich sie nicht alle auf einen Schluck nehmen?« meinte Scrooge.

»Erwarte den zweiten in der nächsten Nacht um dieselbe Stunde. Den dritten in der nächsten Nacht, wenn der letzte Schlag Zwölf ausgeklungen hat. Schau mich an, denn du siehst mich nicht mehr; und schau mich an, daß du dich, um deinetwillen an das erinnerst, was zwischen uns geschehen ist.«

Als es diese Worte gesprochen hatte, nahm das Gespenst das Tuch von dem Tische und band es sich wieder um den Kopf. Scrooge erfuhr das durch das Knirschen der Zähne, als die Kinnladen zusammen klappten. Er wagte es, die Augen zu erheben und erblickte seinen übernatürlichen Besuch vor sich stehen, die Augen noch starr auf ihn geheftet, und die Kette um den Leib und den Arm gewunden.

Die Erscheinung entfernte sich rückwärtsgehend; und bei jedem Schritt öffnete sich das Fenster ein wenig, so daß, als das Gespenst es erreichte, es weit offen stand. Es winkte Scrooge näher zu kommen, was er that. Als sie noch zwei Schritte voneinander entfernt waren, hob Marleys Geist die Hand in die Höhe, ihm gebietend, nicht näher zu kommen. Scrooge stand still.

Weniger aus Gehorsam, als aus Überraschung und Furcht: denn wie sich die gespenstische Hand erhob, hörte er verwirrte Klänge durch die Luft schwirren und unzusammenhängende Töne des Klagens und des Leides, unsagbar, schmerzensvoll und reuig. Das Gespenst horchte ihnen eine Weile zu und stimmte dann in das Klagelied ein; dann schwebte es in die dunkle Nacht hinaus.

Scrooge trat an das Fenster, von der Neugier bis zur Verzweiflung getrieben. Er sah hinaus.

Die Luft war mit Schatten angefüllt, welche in ruheloser Hast und klagend hin und her schwebten. Jeder trug eine Kette, wie Marleys Geist; einige wenige waren zusammengeschmiedet (wahrscheinlich schuldige

Ministerien), keines war ganz fessellos. Viele waren Scrooge während ihres Lebens bekannt gewesen. Ganz genau hatte er einen alten Geist in einer weißen Weste gekannt, welcher einen ungeheuren eisernen Geldkasten hinter sich herschleppte und jämmerlich schrie, einem armen, alten Weibe mit einem Kinde nicht beistehen zu können, welches unten auf einer Thürschwelle saß. Man sah es klar, ihre Pein war, sich umsonst bestreben zu müssen, den Menschen Gutes zu thun und die Macht dazu auf immer verloren zu haben.

Ob diese Wesen in dem Nebel zergingen, oder ob sie der Nebel einhüllte, wußte er nicht zu sagen. Aber sie und ihre Gespensterstimmen vergingen zu gleicher Zeit und die Nacht wurde wieder so, wie sie bei seinem Nachhausegehen gewesen war.

Scrooge schloß das Fenster und untersuchte die Thür, durch welche das Gespenst hereingekommen war. Sie war noch verschlossen und verriegelt, wie vorher. Er versuchte zu sagen: dummes Zeug, aber blieb bei der ersten Silbe stecken, und da er von der innern Bewegung, oder von den Anstrengungen des Tages, oder von seinem Einblick in die unsichtbare Welt, oder der Unterhaltung mit dem Gespenst, oder der späten Stunde sehr erschöpft worden war, ging er sogleich zu Bett, ohne sich auszuziehen, und sank bald in Schlaf.

2. Der erste der drei Geister

Als Scrooge wieder aufwachte, war es so finster, daß er kaum das durchsichtige Fenster von den Wänden seines Zimmers unterscheiden konnte. Er bemühte sich, die Finsternis mit seinen Katzenaugen zu durchdringen, als die Glocke eines Turmes in der Nachbarschaft viertelte. Er lauschte, um die Stunde schlagen zu hören. Zu seinem großen Erstaunen schlug die Glocke fort, von sechs zu sieben, und von sieben zu acht und so weiter bis zwölf; dann schwieg sie.

Zwölf! Es war Zwei vorüber gewesen, als er sich zu Bett gelegt hatte. Das Uhrwerk mußte falsch gehen. Ein Eiszapfen mußte zwischen die Räder gekommen sein. Zwölf!

Er drückte an die Feder seiner Repetieruhr, um der verrückten Glocke nachzuhelfen. Ihr kleiner, lebendiger Puls schlug Zwölf, und schwieg.

»Was! es ist doch nicht möglich«, sagte Scrooge, »ich sollte den ganzen Tag und tief in die andere Nacht geschlafen haben? Es ist doch nicht möglich, daß der Sonne etwas passiert und daß es mittags um Zwölf ist.«

Mit diesem unruhigen Gedanken beschäftigt, stieg er aus dem Bett und tappte bis an das Fenster. Er mußte das Eis erst wegkratzen und das Fenster mit dem Ärmel seines Schlafrockes abwischen, ehe er etwas sehen konnte; und auch hernach konnte er nur sehr wenig sehen. Alles, was er gewahren konnte, war, daß es noch sehr nebelig und sehr kalt war, und daß man nicht den Lärm hin und her eilender Leute hörte, der doch gewiß stattgefunden hätte, wenn Nacht den hellen Tag vertrieben und selbst Besitz von der Welt genommen hätte. Das war ein großer Trost, weil »drei Tage nach Sicht bezahlen Sie diesen Primawechsel an Mr. Ebenezer Scrooge oder dessen Order u. s. w.« eine bloße Vereinigte Staaten-Sicherheit gewesen wäre, wenn es keine Tage mehr gab, um danach zu zählen.

Scrooge legte sich wieder ins Bett und dachte darüber hin und her, konnte aber zu keinem Schlusse kommen. Je mehr er nachdachte, desto verwirrter wurde er; und je mehr er sich bestrebte, nicht nachzudenken, desto mehr dachte er nach. Marleys Geist machte ihm viel zu schaffen. Allemal wenn er nach reiflicher Überlegung zu dem festen Entschluß gekommen war, das Ganze nur für einen Traum zu halten, flog sein Geist wie eine starke vom Druck befreite Feder wieder in die alte Lage zurück und legte ihm dieselbe Frage wieder vor, die er schon zehnmal überlegt hatte: War es ein Traum oder nicht?

Scrooge blieb in diesem Zustande liegen, bis es wieder drei Viertel schlug. Da besann er sich plötzlich, daß der Geist ihm eine Erscheinung mit dem Schlage Eins versprochen hatte. So beschloß er wach zu bleiben, bis die Stunde vorüber sei; und wenn man bedenkt, daß er eben so wenig schlafen, als in den Himmel kommen konnte, war dies gewiß der klügste Entschluß, den er fassen konnte.

Die Viertelstunde war so lang, daß es ihm mehr als einmal vorkam, er müßte unversehens in Schlaf gefallen sein und die Uhr überhört haben. Endlich vernahm sein lauschendes Ohr die Glocke.

»Bim, baum!«

»Ein Viertel«, sagte Scrooge zählend.

»Bim, baum!«

»Halb«, sagte Scrooge.

»Bim, baum!«

»Drei Viertel«, sagte Scrooge.

»Bim, baum!«

»Voll!« rief Scrooge freudig, »und weiter nichts!«

Er sprach das, ehe die Stundenglocke schlug, was sie jetzt mit einem tiefen, hohlen, melancholischen Eins that. In demselben Augenblicke wurde es hell in dem Zimmer und die Vorhänge seines Bettes wurden geöffnet.

Ich sag' es euch, die Vorhänge seines Bettes wurden von einer Hand weggezogen; nicht die Vorhänge ihm zu Füßen, nicht die Vorhänge hinter seinem Rücken, sondern die Vorhänge, gegen die sich sein Gesicht kehrte, die Vorhänge wurden weggezogen; und Scrooge, sich aufrichtend, blickte dem unirdischen Gast in das Gesicht, der sie geöffnet hatte; so dicht stand er ihm gegenüber, wie ich jetzt im Geiste neben euch stehe.

Es war eine wunderbare Gestalt, gleich einem Kinde; aber doch eigentlich nicht gleich einem Kinde, sondern mehr wie ein Greis, der durch einen wunderbaren Zauber erschien, als sei er dem Auge entrückt und auf diese Weise so klein geworden wie ein Kind. Sein Haar, welches in langen Locken auf seine Schultern herabwallte, war weiß, wie vom Alter; aber doch hatte das Gesicht keine einzige Runzel und um das Kinn bemerkte man den zartesten Flaum. Die Arme waren lang und muskulös; die Hände ebenso, als liege eine ungeheure Kraft in ihnen. Seine Füße, zart und fein geformt, waren, wie die Arme, entblößt. Der Geist trug eine Tunika vom reinsten Weiß; und um seinen Leib schlang sich ein Gürtel von wunderbarem Schimmer. Er hielt einen frisch-grünen Stecheichenzweig in der Hand; aber in seltsamem Widerspruch mit diesem Zeichen des Winters war das Kleid mit Sommerblumen verziert. Das Wunderbarste aber war, daß aus der Krone auf seinem Haupte ein heller Lichtstrahl in die Höhe schoß, welcher alles rings erleuchtete, und welcher gewiß die Ursache war, daß der Geist bei weniger guter Laune einen großen Lichtauslöscher, den er jetzt unter dem Arme trug, als Mütze aufsetzte.

Aber selbst dies war nicht seine seltsamste Eigenschaft. Denn wie der Gürtel des Geistes jetzt an dieser Stelle glänzte und funkelte und jetzt an jener, und wie das, was im Augenblick hell gewesen war, jetzt dunkel wurde, so verwandelte sich auch die Gestalt selbst, man wußte nicht wie: jetzt war es ein Ding mit einem Arm, jetzt mit einem Bein, jetzt mit zwanzig Beinen, jetzt bloß zwei Füße ohne Kopf, jetzt ein Kopf ohne Leib; und wie einer dieser Teile verschwand, blieb keine Spur von ihm in dem dichten Dunkel zurück, welches ihn aufnahm. Und das größte Wunder dabei war: die Gestalt blieb immer dieselbe.

»Sind Sie der Geist, dessen Erscheinung mir vorhergesagt wurde?« fragte Scrooge.

»Ich bin es.«

Die Stimme war sanft und wohlklingend und so leise, als käme sie nicht aus dichtester Nähe, sondern aus einiger Entfernung.

»Wer und was seid Ihr?« fragte Scrooge, schon etwas mehr Vertrauen fassend.

»Ich bin der Geist der vergangenen Weihnachten.«

»Der lange vergangenen?« fragte Scrooge, seiner zwerghaften Gestalt denkend.

»Nein, deiner vergangenen.«

Vielleicht hätte Scrooge niemand sagen können, warum, wenn ihn jemand gefragt hätte, aber doch fühlte er ein ganz besonderes Verlangen, den Geist in seiner Mütze zu sehen; und er bat ihn, sich zu bedecken.

»Was?« rief der Geist, »willst du sobald mit irdisch gesinnter Hand das Licht, welches ich spende, verlöschen? Ist es nicht genug, daß du einer von denen bist, deren Leidenschaften diese Mütze geschaffen haben und mich zwingen, durch lange, lange Jahre meine Stirn damit zu verhüllen?«

Scrooge entschuldigte sich ehrfurchtsvoll, er habe nicht den Willen gehabt, ihn zu beleidigen, und behauptete, nicht zu wissen, daß er irgend je in seinem Leben dem Geiste Ursache gegeben habe, sich zu bedecken. Dann war er so frei, zu fragen, was ihn hierher führe.

»Dein Wohl«, sagte der Geist.

Scrooge drückte seine Dankbarkeit aus, aber konnte sich doch des Gedankens nicht erwehren, daß eine Nacht ungestörten Schlafes ihm mehr genützt haben würde. Der Geist mußte ihn haben denken hören, denn er sagte sogleich: »Deine Besserung also. Nimm dich in acht!«

Er streckte seine starke Hand aus, als er dies sprach und ergriff sanft seinen Arm.

»Steh' auf und folge mir.«

Vergebens würde Scrooge eingewendet haben, Wetter und Stunde sei schlecht geeignet zum Spazierengehen; das Bett sei warm und der Thermometer ein gutes Stück unter dem Gefrierpunkte; er sei nur leicht in Pantoffeln, Schlafrock und Nachtmütze gekleidet und habe gerade jetzt den Schnupfen. Dem Griff, war er auch so sanft, wie der einer

Frauenhand, war nicht zu widerstehen. Er stand auf, aber wie er sah, daß der Geist nach dem Fenster schwebte, faßte er ihn flehend bei dem Gewande.

»Ich bin ein Sterblicher«, sagte Scrooge, »und kann fallen.«

»Dulde nur eine Berührung meiner Hand dort«, sagte der Geist, indem er ihm die Hand auf das Herz legte, »und du wirst größere Gefahren überwinden, als diese hier.«

Als diese Worte gesprochen waren, schwanden die beiden durch die Wände und standen plötzlich im Freien auf der Landstraße, rings von Feldern umgeben. Die Stadt war ganz verschwunden. Keine Spur war mehr davon übrig. Die Finsternis und der Nebel waren mit ihr verschwunden, denn es war jetzt ein klarer, kalter Wintertag und der Boden war mit weißem, reinem Schnee bedeckt.

»Gütiger Himmel!« rief Scrooge, die Hände faltend, als er um sich blickte. »Hier wurde ich geboren. Hier lebte ich noch als Knabe.«

Der Geist schaute ihn mit mildem Blicke an. Seine sanfte Berührung, obgleich sie nur leise und augenblicklich gewesen war, klang immer noch in dem Herzen des alten Mannes nach. Er fühlte wie tausend Düfte durch die Luft schwebten, jeder mit tausend Gedanken und Hoffnungen und Freuden und Sorgen verbunden, die lange, lange vergessen waren.

»Deine Lippe zittert«, sagte der Geist. »Und was glänzt auf deiner Wange?«

Scrooge murmelte mit einem ungewöhnlichen Stocken in der Stimme, es sei ein Wärzchen, und bat den Geist, ihn zu führen, wohin er wolle.

»Erinnerst du dich des Weges?« frug der Geist.

»Ob ich mich seiner erinnere?« rief Scrooge mit Innigkeit; »ich könnte ihn blindlings gehen.«

»Seltsam, daß du ihn so viele Jahre lang vergessen hast«, sagte der Geist. »Komm!«

Sie schritten den Weg entlang. Scrooge erkannte jedes Thor, jeden Pfahl, jeden Baum wieder, bis ein kleiner Marktflecken in der Ferne mit seiner Kirche, seiner Brücke und dem hellen Fluß erschien. Jetzt kamen einige Knaben, auf zottigen Ponys reitend, auf sie zu, welche anderen Knaben in ländlichen Wagen laut zuriefen. Alle diese Knaben waren gar fröhlich und laut, bis die weiten Felder so voll heiterer Musik waren, daß die kalte, sonnige Luft lachte, sie zu hören.

»Dies sind bloß Schatten der Dinge, die gewesen sind«, sagte der Geist, »sie wissen nichts von uns.«

Die fröhlichen Reisenden kamen näher und jetzt erkannte Scrooge sie alle und konnte sie alle bei Namen nennen. Warum freute er sich über alle Maßen, sie zu sehen, warum wurde sein kaltes Auge feucht, warum frohlockte sein Herz, als sie vorübereilten, warum wurde sein Herz weich, wie sie an den Kreuzwegen voneinander schieden und sich fröhliche Weihnachten wünschten?

Was gingen Scrooge fröhliche Weihnachten an? Der Henker hole fröhliche Weihnachten! Welchen Nutzen hatte er jemals davon gehabt?

»Die Schule ist nicht ganz verlassen«, sagte der Geist »Ein Kind, eine verlassene Waise sitzt noch einsam dort.«

Scrooge sagte, er wisse es. Und er schluchzte.

Sie verließen jetzt die Heerstraße auf einem wohlbekannten Feldwege und erreichten bald ein Haus von dunkelroten Ziegeln, mit einem kleinen Türmchen auf dem Dache und darin eine Glocke. Es war ein großes Haus, aber jetzt vernachlässigt und verfallen, denn die geräumigen Gemächer waren wenig gebraucht, die Wände feucht und grün, die Fenster zerbrochen, die Thüren morsch und zerfallen. Hühner gluckten und scharrten in den Ställen; und der Wagenschuppen war mit Gras überwachsen. Auch im Innern war nichts von seiner alten Pracht übrig geblieben, denn als sie in die verödete Hausflur eintraten und durch die offenen Thüren in die vielen Zimmer blickten, sahen sie nur ärmlich ausgestattete, kalte, große Räume. Ein erdiger, dumpfiger Geruch erfüllte die Luft, eine frostige Unbehaglichkeit schien um den Ort zu schweben, die auf irgend eine Art an zu oft früh bei Licht aufstehen, und nicht zu viel zu essen zu bekommen erinnerte.

Der Geist und Scrooge gingen über die Hausflur nach einer Thür auf der Rückseite des Hauses. Sie öffnete sich vor ihnen und zeigte ihnen einen langen, kahlen, unbehaglichen Saal, noch kahler und unbehaglicher gemacht durch die Reihen von einfachen hölzernen Bänken.

Auf einer derselben saß einsam ein Knabe neben einem schwachen Feuer und las; und Scrooge setzte sich auf eine Bank nieder und weinte, sein eigenes, vergessenes Selbst, wie es in früheren Jahren war, zu sehen.

Kein dumpfer Widerhall in dem Hause, kein Rascheln der Mäuse hinter dem Getäfel, kein Getröpfel des halbgefrorenen Röhrtrogs in dem Hofe hinten, kein Seufzer in den blattlosen Zweigen einer verlassen trauernden Pappel, nicht das Klappen der vom Winde hin und her geschwungenen Thür des Vorratshauses im Hofe, selbst nicht das Knistern des Feuers war für Scrooge verloren. Alles fiel auf sein Herz mit erweichenden Tönen und löste seine Thränen.

Der Geist berührte seinen Arm und wies auf sein jüngeres, in ein Buch vertieftes Selbst. Plötzlich stand ein Mann in fremdartiger Tracht mit einer Axt im Gürtel und einen mit Holz beladenen Esel am Zaume führend, draußen vor dem Fenster, wundersam wirklich und deutlich zu sehen.

»Was! das ist ja Ali Baba!« rief Scrooge voller Freude aus. »Es ist der alte, liebe, ehrliche Ali Baba. Ja, ja, ich weiß noch. Einst zur Weihnachtszeit, als jener verlassene Knabe hier ganz allein saß, kam er zum erstenmal, gerade wie er dort steht. Der arme Junge! Und Valentin«, fuhr Scrooge fort, »und sein wilder Bruder Orson, dort gehen sie! Und wie heißt der, der mitten im Schlafe vor das Thor von Damaskus gesetzt wurde? siehst du ihn nicht! Und der Stallmeister des Sultans, der von den Genien auf den Kopf gestellt wurde, dort ist er! Ha, ha, es geschieht ihm schon recht! Wer heißt ihn die Prinzessin heiraten wollen!«

Scrooge mit vollem Ernste und mit einer Stimme zwischen Lachen und Weinen über solche Gegenstände reden zu hören und sein vor Freude aufgeregtes Gesicht zu sehen, wäre für seine Geschäftsfreunde in der City gewiß eine große Überraschung gewesen.

»Da ist auch der Papagei«, rief Scrooge, »mit grünem Leib und gelbem Schwanz, da ist er! Der arme Robinson, er rief ihn, als er wieder von seiner Umsegelung der Insel nach Haus kam. Robinson Crusoe, wo bist du gewesen? Er glaubte, er träume, aber es war der Papagei. Ha, dort läuft Freitag in der kleinen Bucht. Es gilt das Leben. Hallo, ho, hallo!«

Dann sagte er mit einem schnellen Wechsel der Gefühle, der seinem gewöhnlichen Charakter sehr fremd war: »Der arme Knabe!« und er weinte wieder.

»Ich wollte«, murmelte Scrooge, die Hand in die Tasche steckend und um sich blickend, nachdem er sich mit dem Rockaufschlag die Augen gewischt hatte, »aber es ist zu spät jetzt.«

»Was willst du?« frug der Geist.

»Nichts«, sagte Scrooge, »nichts. Gestern Abend sang vor meiner Thür ein Knabe ein Weihnachtslied. Ich wollte, ich hätte ihm etwas gegeben, weiter war es nichts.«

Der Geist lächelte gedankenvoll und winkte mit der Hand. Dann sagte er: »Laß uns ein anderes Weihnachten sehen.«

Scrooges früheres Selbst wurde bei diesen Worten größer, und das Zimmer etwas finstrer und schwärzer; das Getäfel warf sich, die Fensterscheiben sprangen; Stücke Kalkbewurf fielen von der Decke, und das bloße Lattenwerk zeigte sich; aber wie das alles geschah, wußte Scrooge ebensowenig als ihr. Er wußte nur, alles sei ganz in der Ordnung, und habe sich ganz so zugetragen, und er sei es wieder, der dort allein sitze, während die andern Knaben nach Hause zur fröhlichen Weihnachtsfeier gereist waren.

Er las nicht, sondern ging wie in Verzweiflung im Zimmer auf und ab. Scrooge blickte den Geist an, und schaute mit einem traurigen Kopfschütteln und in banger Erwartung nach der Thür.

Sie ging auf, und ein kleines Mädchen, viel jünger als der Knabe, sprang herein, schlang die Arme um seinen Hals, küßte ihn und begrüßte ihn als ihren »lieben, lieben Bruder.«

»Ich komme, um dich mit nach Haus zu nehmen, lieber Bruder!« sagte das Kind, fröhlich mit den Händen klatschend. »Dich mit nach Haus zu nehmen, nach Haus!«

»Nach Haus, liebe Fanny?« frug der Knabe.

»Ja!« antwortete die Kleine, in überströmender Lust. »Nach Hause und für immer. Der Vater ist so viel freundlicher als sonst, daß es bei uns wie im Himmel ist. Er sprach eines Abends, als ich zu Bett ging, so freundlich mit mir, daß ich mir ein Herz faßte, und ihn frug, ob du nicht nach Hause kommen dürftest; und er sagte ja, und schickt mich im Wagen her, um dich zu holen. Und du sollst jetzt dein freier Herr sein«, sagte das Kind, und blickte ihn bewundernd an, »und nicht mehr hierher zurückkehren; aber erst sollen wir alle zusammen das Weihnachtsfest feiern und recht lustig sein.«

»Du bist ja eine ordentliche Dame geworden, Fanny!« rief der Knabe aus.

Sie klatschte in die Hände und lachte, und versuchte, bis an seinen Kopf zu reichen; aber sie war zu klein, und lachte wieder, und stellte sich auf die Zehen, um ihn zu umarmen. Dann zog sie ihn in kindischer Ungeduld nach der Thür, und er begleitete sie mit leichtem Herzen.

Eine schreckliche Stimme in der Hausflur rief: »Bringt Master Scrooges Koffer herunter!« Es war der Schullehrer selbst, welcher Master Scrooge mit gestrengster Herablassung anstierte, und ihn in großen Schrecken setzte, wie er ihm die Hand drückte. Dann führte er ihn und seine Schwester in ein feuchtes, fröstelnerregendes Putzzimmer, wo die Erd-

und Himmelsgloben im Fenster vor Kälte glänzten. Hier brachte er eine Flasche merkwürdig leichten Wein und ein Stück merkwürdig schweren Kuchen herbei, und regalierte die Kinder schonend sparsam mit diesen auserlesenen Leckerbissen. Auch schickte er eine hungrig aussehende Magd hinaus, um dem Postillon ein Gläschen anzubieten, wofür dieser aber mit den Worten dankte, wenn es von demselben Faß wie das vorige sei, möchte er lieber nicht kosten. Während dieser Zeit war Master Scrooges Koffer auf den Wagen gebunden worden, und die Kinder nahmen ohne Bedauern von dem Schulmeister Abschied, setzten sich in den Wagen, und fuhren so schnell zum Garten hinaus, daß der Reif und der Schnee von den immergrünen Gebüschen wie Schaum stob.

»Sie war immer ein zartes Wesen, das von einem Hauch hätte verwelken können«, sagte der Geist. »Aber sie hatte ein reiches Herz.«

»Ja, das hatte sie«, rief Scrooge. »Ich will nicht widersprechen, Geist. Gott verhüte es!«

»Sie starb verheiratet«, sagte der Geist, »und hatte Kinder, glaube ich.«

»Ein Kind«, antwortete Scrooge.

»Ja«, sagte der Geist. »Dein Neffe.«

Scrooge schien unruhig zu werden und er antwortete kurz »Ja.«

Obgleich sie kaum einen Augenblick die Schule hinter sich gelassen hatten, befanden sie sich doch jetzt mitten in den lebendigsten Straßen der Stadt, wo schattenhafte Fußgänger vorübergingen, wo gespenstische Wagen und Kutschen sich um Platz stritten und wo alles Gedräng und alles wirre Leben einer wirklichen Stadt war. An dem Aufputz der Läden sah man, daß auch hier Weihnachten sei; aber es war Abend und die Straßenlaternen brannten.

Der Geist blieb vor einer Gewölbethür stehen und frug Scrooge, ob er sie kenne.

»Ob ich sie kenne?« sagte Scrooge. »Hab' ich hier nicht gelernt?«

Sie traten hinein. Beim Anblick eines alten Herrn in einer Stutzperücke, welcher hinter einem so hohen Pulte saß, daß er mit dem Kopf hätte an die Decke stoßen müssen, wenn er zwei Zoll größer gewesen wäre, rief Scrooge in großer Aufregung: »Ha, das ist ja der alte Fezziwig, Gott segne ihn, es ist Fezziwig, wie er leibt und lebt!«

Der alte Fezziwig legte seine Feder hin und sah nach der Uhr, deren Zeiger auf Sieben stand. Er rieb die Hände, zog seine geräumige Weste herunter, lachte über und über, von den Schuhspitzen bis zu dem Organ der Gutmütigkeit und rief mit einer behäbigen, voll und doch mild tönenden heitern Stimme: »Hallo, dort! Ebenezer! Dick!«

Scrooges früheres Selbst, jetzt zu einem Jüngling geworden, trat munter herein, begleitet von seinem Mitlehrling.

»Dick Wilkins, wahrhaftig!« sagte Scrooge zu dem Geist. »Wahrhaftig, er ist es. Er hat mich sehr lieb, der Dick. Der arme Dick! Gott, Gott!«

»Hallo, meine Burschen«, sagte Fezziwig. »Feierabend heute. Weihnachten, Dick! Weihnachten, Ebenezer! Macht die Laden zu«, rief der alte Fezziwig, munter die Hände zusammenklatschend, »ehe ein Mann sagen kann Jack Robinson.«

Man hätte nicht glauben sollen, wie frisch die beiden Jungen daran gingen. Sie liefen mit den Laden hinaus – eins, zwei, drei – hatten sie eingesetzt – vier, fünf, sechs – sie zugeriegelt und zugeschraubt – sieben, acht, neun – und kamen zurück, ehe man zwölf sagen konnte, außer Atem, wie Rennpferde.

»Hussaho!« rief der alte Fezziwig, mit wunderbarer Geschicklichkeit von seinem hohen Sessel herunterspringend. »Räumt auf, Jungens, und macht viel Platz! Hussaho, Dick! Hallo, Ebenezer!«

Aufräumen! Sie würden alles weggeräumt haben und konnten alles wegräumen, wo Fezziwig zuschaute. Es war in einer Minute geschehen. Alles, was nicht niet- und nagelfest war, wurde in die Winkel geschoben, als wenn es für immer aus dem öffentlichen Dienste entlassen worden wäre; die Flur wurde gekehrt und gesprengt, die Lampen geputzt, Kohlen auf das Feuer geschüttet; und der Laden war so behaglich und warm und hell, wie ein Ballzimmer, wie man es nur an einem Winterabende verlangen kann.

Jetzt trat ein Fiedler mit einem Notenbuche herein und stieg Fezziwigs hohen Stuhl hinauf, dort sein Orchester aufzuschlagen und stimmte wie toll. Dann kam Mrs. Fezziwig, *ein* behagliches Lächeln über und über. Dann kamen die drei Miß Fezziwigs, freudestrahlend und liebenswürdig. Dann kamen die sechs Jünglinge, deren Herzen sie brachen. Dann kamen die Burschen und Mädchen, die im Hause einen Dienst hatten: das Hausmädchen mit ihrem Vetter, dem Bäcker, die Köchin mit ihres Bruders vertrautem Freund, dem Milchmann. Dann kam der Bursche von gegenüber, von dem man sagte, er habe bei seinem Herrn knappe Kost; er versuchte, sich hinter dem Mädchen aus dem Nachbarhause zu verstecken, der man bewies, sie sei von ihrer Herrschaft ausgescholten worden. Sie kamen alle, einer nach dem andern; einige blöde, andere keck, einige mit Geschick, andere mit Ungeschick, die zerrend und jene stoßend. Dann ging es los, zwanzig Paar auf einmal, eine halbe Runde hin und zurück, dann die Mitte des Zimmers hinauf und wieder herab, dann in verschiedenen Kreisen sich drehend; das alte erste Paar immer an der falschen Stelle stehen bleibend; das neue erste Paar immer wieder anfangend, wenn es stehen bleiben sollte; bis alle Paare erste waren und kein einziges mehr das letzte. Als sie so weit gekommen waren, klatschte der alte Fezziwig zum Zeichen, daß der Tanz aus sei und rief »Bravo!« und der Fiedler senkte sein glühendes Gesicht in einen Krug Porter, der besonders zu diesem Zweck neben ihm stand. Aber kaum war er wieder herausgestiegen, als er wieder aufzuspielen anfing, obgleich noch keine Tänzer dastanden, als wenn der alte Fiedler erschöpft nach Hause getragen worden und er ein ganz frischer sei, entschlossen, ihn vergessen zu machen, oder zu sterben.

Dann folgten noch mehrere Tänze und Pfänderspiele und wieder Tänze. Dann kam Kuchen und Negus und ein großes Stück kalter Rinderbraten, und dann ein großes Stück kaltes, gekochtes Rindfleisch und Fleischpasteten und Überfluß von Bier. Aber der Glanzpunkt des Abends kam nach dem Rindfleisch, als der Fiedler (ein pfiffiger Kopf, er kannte sein Geschäft besser, als ihr oder ich es ihm hätte lehren können) anfing »Sir Roger de Coverley.«[1] Da trat der alte Fezziwig mit Mrs. Fezziwig an und zwar als das erste Paar. Sie hatten ein gut Stück Arbeit vor sich, drei- oder vierundzwanzig Paar Tänzer, Leute, mit denen nicht zu spaßen war, Leute, die tanzen wollten und keinen Begriff vom Gehen hatten.

Aber wenn es zweimal, ja viermal so viel gewesen wären, hätte es der alte Fezziwig mit ihnen aufgenommen und auch Mrs. Fezziwig. Sie war, im vollen Sinne des Wortes, würdig, seine Tänzerin zu sein. Wenn das kein großes Lob ist, so sagt mir ein größeres und ich will es aussprechen. Fezziwigs Waden schienen wirklich zu leuchten. Sie glänzten in jedem Teil des Tanzes wie ein Paar Monde. Ihr hättet zu irgend einer Minute nicht voraus sagen können, was aus ihnen in der nächsten werden würde. Und als der alte Fezziwig und Mrs. Fezziwig alle Touren des Tanzes durchgemacht hatten, battierte Fezziwig so geschickt, daß es war, als zwinkerte er mit den Beinen, und er kam, ohne zu wanken, wieder auf die Füße.

1 Eine Art Großvatertanz.

Mit dem Glockenschlag Elf war dieser häusliche Ball zu Ende. Mr. und Mrs. Fezziwig stellten sich zu beiden Seiten der Thür auf, schüttelten jedem einzelnen der Gäste die Hand zum Abschied und wünschten ihm oder ihr fröhliche Weihnachten.

Als alles, außer den zwei Lehrlingen, fort war, thaten sie diesen das Gleiche. So waren die heitern Stimmen verklungen, und die Burschen gingen in ihr Bett, welches sich unter einem Ladentisch in der hintersten Niederlage befand.

Während dieser ganzen Zeit hatte sich Scrooge wie ein Verrückter benommen. Sein Herz und seine Seele waren mit dem Ball und seinem früheren Selbst. Er bestätigte alles, erinnerte sich an alles, freute sich über alles und befand sich in der seltsamsten Aufregung. Nicht eher, als bis die fröhlichen Gesichter seines frühern Selbst und Dicks verschwunden waren, dachte er daran, daß der Geist neben ihm stehe und ihn anschaue, während das Licht auf seinem Haupte in voller Klarheit brannte.

»Eine Kleinigkeit«, sagte der Geist, »diesen närrischen Leuten solche Dankbarkeit einzuflößen.«

»Eine Kleinigkeit!« gab Scrooge zurück.

Der Geist gab ihm ein Zeichen, den beiden Lehrlingen zuzuhören, welche ihr Herz in Lobpreisungen Fezziwigs ausschütteten; und als Scrooge das gethan hatte, sprach der Geist: »Nun, ist es nicht so? Er hat nur ein paar Pfund Eures irdischen Geldes hingegeben; vielleicht drei oder vier. Ist das so viel, daß er solches Lob verdient?«

»Das ist's nicht«, sagte Scrooge, von dieser Bemerkung gereizt und wie sein früheres, nicht wie sein jetziges Selbst sprechend. »Das ist's nicht, Geist. Er hat die Macht, uns glücklich oder unglücklich, unsern Dienst zu einer Last oder zu einer Bürde, zu einer Freude oder zu einer Qual zu machen. Du magst sagen, seine Macht liege in Worten und Blicken, in so unbedeutenden und kleinen Dingen, daß es unmöglich ist, sie herzuzählen: was schadet das? Das Glück, welches er bereitet, ist so groß, als wenn es sein ganzes Vermögen kostete.«

Er fühlte des Geistes Blick und schwieg.

»Was giebt's?« fragte der Geist.

»Nichts, nichts«, sagte Scrooge.

»Etwas, sollt' ich meinen«, drängte der Geist.

»Nein«, sagte Scrooge, »nein. Ich möchte nur eben ein paar Worte mit meinem Diener sprechen. Das ist alles.«

Sein früheres Selbst löschte die Lampen aus, als er diesen Wunsch aussprach, und Scrooge und der Geist standen wieder im Freien.

»Meine Zeit geht zu Ende«, sagte der Geist. »Schnell!«

Dies letzte Wort war nicht zu Scrooge oder zu jemand, den er sehen konnte, gesprochen, aber es wirkte sofort. Denn wieder sah Scrooge sich selbst. Er war jetzt älter geworden: ein Mann in der Blüte seiner Jahre. Sein Gesicht hatte nicht die schroffen, rauhen Züge seiner spätern Jahre, aber schon fing es an, die Zeichen der Sorge und des Geizes zu tragen. In seinem Auge brannte ein ruheloses, habsüchtiges Feuer, welches von der Leidenschaft sprach, die dort Wurzel geschlagen hatte, und zeigte, wohin der Schatten des wachsenden Baumes fallen würde.

Er war nicht allein, sondern saß neben einem schönen jungen Mädchen in Trauerkleidern. In ihrem Auge standen Thränen, welche in dem Lichte glänzten, das von dem Geist vergangener Weihnachten ausströmte.

»Es ist ohne Bedeutung«, sagte sie sanft. »Ihnen von gar keiner. Ein anderes Götzenbild hat mich verdrängt; und wenn es Sie in späterer Zeit trösten und aufrecht erhalten kann, wie ich es versucht haben würde, so habe ich keine gerechte Ursache zu klagen.«

»Welches Götzenbild hätte Sie verdrängt?« erwiderte er.

»Ein goldenes.«

»Dies ist die Gerechtigkeit der Welt!« sagte er. »Gegen nichts ist sie so hart, wie gegen die Armut; und nichts tadelt sie mit größerer Strenge, als das Streben nach Reichtum.«

»Sie fürchten das Urteil der Welt zu sehr«, antwortete sie sanft. »Alle Ihre andern Hoffnungen sind in der einen aufgegangen, vor diesem engherzigen Vorwurf gesichert zu sein. Ich habe Ihre edleren Bestrebungen eine nach der andern verschwinden sehen, bis die eine Leidenschaft nach Gold Sie ganz erfüllt. Ist es nicht wahr?«

»Und was ist da weiter?« antwortete er. »Selbst wenn ich so viel klüger geworden bin, was ist da weiter? Gegen Sie bin ich nie anders geworden.«

Sie schüttelte den Kopf.

»Bin ich anders.«

»Unser Bund ist aus alter Zeit. Er wurde geschlossen, als wir beide arm und zufrieden waren, bis wir unser Los durch ausdauernden Fleiß verbessern könnten. Sie haben sich verändert. Als er geschlossen wurde, waren Sie ein anderer Mensch.«

»Ich war ein Knabe«, sagte er ungeduldig.

»Ihr eigenes Gefühl sagt Ihnen, daß Sie nicht so waren, wie Sie jetzt sind«, antwortete sie. »Ich bin noch dieselbe. Das, was uns Glück versprach, als wir noch ein Herz und eine Seele waren, muß uns Unglück bringen, da wir im Geiste nicht mehr eins sind. Wie oft und wie bitter ich dies gefühlt habe, will ich nicht sagen; es ist genug, daß ich es gefühlt habe und daß ich Ihnen Ihr Wort zurückgeben kann.«

»Habe ich dies jemals verlangt?«

»In Worten? Nein. Niemals!«

»Womit dann?«

»Durch ein verändertes Wesen, durch einen andern Sinn, durch andere Bestrebungen des Lebens und durch eine andere Hoffnung, als seinem Ziel. In allem, was meiner Liebe in Ihren Augen einigen Wert gab. Wenn alles Frühere nicht zwischen uns geschehen wäre«, sagte das Mädchen, ihn mit sanftem, aber festem Blicke ansehend, »würden Sie mich jetzt aufsuchen und um mich werben? Gewiß nicht!«

Er schien die Wahrheit dieser Voraussetzung wider seinen Willen zuzugeben. Aber er that seinen Gefühlen Gewalt an und sagte: »Sie glauben es nicht?«

»Gern glaubte ich es, wenn ich es könnte«, sagte sie, »Gott weiß es! Wenn ich eine Wahrheit, gleich dieser, erkannt habe, weiß ich, wie unwiderstehlich sie sein muß. Aber wenn Sie heute oder morgen, oder gestern frei wären, soll ich glauben, daß Sie ein armes Mädchen wählen würden, Sie, der selbst in den vertrautesten Stunden alles nach dem Gewinn abmißt? oder soll ich mir verhehlen, daß selbst, wenn Sie für einen Augenblick Ihrem einen leitenden Grundsatze untreu werden könnten, Sie gewiß einst Täuschung und bittere Reue fühlen würden? Nein, und deswegen gebe ich Ihnen Ihr Wort zurück. Willig und um die Liebe dessen, der Sie einst waren.«

Er wollte sprechen, aber mit abgewendetem Gesicht fuhr sie fort: »Vielleicht – der Gedanke an die Vergangenheit läßt es mich fast hoffen – wird es Sie schmerzen. Eine kurze, sehr kurze Zeit, und Sie werden dann die Erinnerung daran fallen lassen, freudig, wie die Gedanken eines unnützen Traumes, von dem zu erwachen ein Glück für Sie war. Möge Sie alles Glück auf dem erwählten Lebenswege begleiten!«

Sie schieden.

»Geist«, sagte Scrooge, »zeige mir nichts mehr, führe mich nach Haus. Warum erfreust du dich daran, mich zu quälen?«

»Noch ein Gesicht«, rief der Geist aus.

»Nein«, rief Scrooge. »Nein! Ich mag keins mehr sehen. Zeige mir keins mehr.«

Aber der erbarmungslose Geist hielt ihn mit beiden Händen fest und zwang ihn, zu betrachten, was zunächst geschah.

Sie befanden sich an einem andern Ort, in einem Zimmer, nicht sehr groß oder schön, aber voller Behaglichkeit. Neben dem Kamin saß ein schönes junges Mädchen, so gleich der, welche Scrooge zuletzt gesehen hatte, daß er glaubte, es sei dieselbe, bis er sie, jetzt eine stattliche Matrone, der Tochter gegenüber sitzen sah. In dem Zimmer war ein wahrer Aufruhr, denn es befanden sich mehr Kinder darin, als Scrooge in seiner Aufregung zählen konnte; und hier betrugen sich nicht vierzig Kinder wie eins, sondern jedes Kind wie vierzig. Die Folge davon war ein Lärm sondergleichen; aber niemand schien sich darum zu kümmern; im Gegenteil, Mutter und Tochter lachten herzlich und freuten sich darüber; und die letztere, die sich bald in die Spiele mischte, wurde von den kleinen Schelmen gar grausam mitgenommen. Was hätte ich darum gegeben, eines dieser Kinder zu sein, obgleich ich nimmer so ungezogen gewesen wäre. Nein, nein! für alle Schätze der Welt hätte ich nicht diese Locken zerdrückt und zerwühlt; und diesen lieben, kleinen Schuh hätte ich nicht entwendet, um mein Leben zu retten. Im Scherz ihre Taille zu messen, wie die kecke, junge Brut that, ich hätte es nicht gewagt; ich hätte geglaubt, mein Arm würde zur Strafe krumm werden und nie wieder gerade wachsen. Und doch, wie gern, ich gestehe es, hätte ich ihre Lippen berührt; wie gern hätte ich sie gefragt, damit sie sich geöffnet hätten; wie gern hätte ich die Wimpern dieser niedergeschlagenen Augen betrachtet, ohne ein Erröten hervorzurufen; wie gern hätte ich dieses wogende Haar gelöst, von dem ein Zoll ein Schatz über allen Preis gewesen wäre; kurz, wie gern hätte ich das kleinste Privilegium eines Kindes gehabt, mit der Bedingung, Mann genug zu sein, um seinen Wert zu kennen.

Aber jetzt wurde ein Klopfen an der Thür gehört, was einen so allgemeinen Sturz nach derselben veranlaßte, daß sie mit lachendem Gesicht und verwirrtem Anzug in der Mitte eines frohlockenden lärmenden Haufens nach der Thür gedrängt wurde, dem Vater entgegen, der nach Haus kam, in Begleitung eines Mannes mit Weihnachtsgeschenken beladen. Aber nun das Geschrei und das Gedräng und der Sturm auf den verteidigungslosen Träger! Wie sie auf Stühlen an ihm hinaufstiegen, in seine Taschen guckten, die Papierpäckchen raubten, an seiner Halsbinde zupften, an seinem Halse hingen, ihm auf den Rücken trommelten und an die Beine stießen – alles in unwiderstehlicher Freude! Dann diese Ausrufungen der Verwunderung und des Frohlockens, mit denen der Inhalt jedes Päckchens begrüßt wurde! Die schreckliche Kunde, daß das Wickelkind ertappt worden sei, wie es die Bratpfanne der Puppe in den Mund gesteckt, oder wohl gar das hölzerne Huhn samt der Schüssel hinuntergeschluckt habe! Die große Beruhigung, zu finden, daß es ein falscher Lärm gewesen sei! Die Freude und die Dankbarkeit und das Entzücken! Dies alles ist über alle Beschreibung. Es muß genügen, zu wissen, daß die Kinder und ihre Freuden endlich aus dem Zimmer kamen und *eine* Treppe auf einmal hinaufgingen, wo sie zu Bett gebracht wurden und dort blieben.

Und als jetzt Scrooge sah, wie der Herr des Hauses, die Tochter zärtlich an seine Seite geschmiegt, sich mit ihr und ihrer Mutter an seinem eigenen Herd niedersetzte; und wie er dachte, daß ein solches Wesen ebenso lieblich und hoffnungsreich ihn hätte Vater nennen und wie Frühlingszeit in dem öden Winter seines Lebens hätte sein können, da wurden seine Augen wirklich trübe.

»Bella«, sagte der Mann, sich lächelnd zu seiner Gattin wendend, »ich sah heut' Nachmittag einen alten Freund von dir.«

»Wer war es?«

»Rate.«

»Wie kann ich das? Ach, jetzt weiß ich«, fügte sie sogleich hinzu, lachend, wie er lachte. »Mr. Scrooge.«

»Ja, Mr. Scrooge. Ich ging an seinem Comptoirfenster vorüber; und da kein Laden davor war und er Licht drin hatte, mußte ich ihn fast sehen. Sein Compagnon liegt im Sterben, hörte ich, und er saß allein dort. Ganz allein in der Welt, glaube ich.«

»Geist«, sagte Scrooge mit bebender Stimme, »führe mich weg von diesem Orte.«

»Ich sagte dir, daß dieses Schatten gewesener Dinge wären«, sagte der Geist. »Gieb mir nicht die Schuld, daß sie so sind, wie sie sind.«

»Führe mich weg!« rief Scrooge aus. »Ich kann es nicht ertragen.«

Er wandte sich gegen den Geist, und wie er sah, daß er ihn mit einem Gesicht anblickte, in welchem sich auf eine seltsame Weise einzelne Züge all der Gesichter zeigten, die er gesehen hatte, rang er mit ihm.

»Verlaß mich, führ' mich weg. Umschwebe mich nicht länger.«

In dem Kampfe, wenn das ein Kampf genannt werden kann, wo der Geist, ohne einen sichtbaren Widerstand von seiner Seite, von den Anstrengungen seines Gegners ungestört blieb, bemerkte Scrooge, daß das Licht auf seinem Haupte hoch und hell brenne; und in einem dunklen Instinkt jenes Licht mit des Geistes Einfluß auf sich verbindend, ergriff er den Lichtauslöscher und stülpte ihn auf des Geistes Haupt.

Der Geist sank darunter zusammen, so daß der Lichtauslöscher seine ganze Gestalt bedeckte; aber obgleich Scrooge ihn mit seiner ganzen Kraft niederdrückte, konnte er das Licht nicht verbergen, welches darunter hervor und mit hellem Schimmer über den Boden strömte.

Er fühlte, daß er erschöpft sei und von einer unüberwindlichen Schläfrigkeit befallen werde und wußte, daß er in seinem eignen Schlafzimmer sei. Er gab dem Lichtauslöscher noch einen Druck zum Abschiede und fand kaum Zeit, in das Bett zu wanken, ehe er in tiefen Schlaf sank.

3. Der zweite der drei Geister

Scrooge erwachte mitten in einem tüchtigen Geschnarch und setzte sich in dem Bette in die Höhe, um seine Gedanken zu sammeln. Diesmal hatte niemand nötig, ihm zu sagen, daß es gerade Eins sei. Er fühlte, daß er gerade zu der rechten Zeit und zu dem ausdrücklichen Zwecke erwacht sei, eine Konferenz mit dem zweiten an ihn durch Jakob Marleys Vermittlung abgesandten Boten zu halten. Aber bei dem Gedanken, welche seiner Bettgardinen wohl das neue Gespenst zurückschlagen würde, wurde es ihm ganz unheimlich kalt, und so schlug er sie mit seinen eigenen Händen zurück. Dann legte er sich wieder nieder und beschloß, genau aufzupassen, denn er wollte den Geist in dem Augenblicke seiner Erscheinung anrufen, und wünschte nicht überrascht und erschreckt zu werden.

Leute von keckem Mute, die sich schmeicheln, es schon mit etwas aufnehmen zu können, und immer an ihrem Platze zu sein, drücken den weiten Bereich ihrer Fähigkeiten mit den Worten aus: Sie wären gut für alles, vom Brotessen bis zum Menschenverschlingen; zwischen welchen beiden Extremen ohne Zweifel ziemlich viel Gelegenheit zur Darlegung ihrer Kräfte liegt. Ohne gerade zu behaupten, daß Scrooge es so weit gebracht hätte, muß ich doch von dem Leser den Glauben fordern, daß er auf ein recht schönes Sortiment von Erscheinungen gefaßt war, und daß nichts zwischen einem Wickelkind und einem Rhinoceros ihn sehr staunen gemacht haben würde.

Eben weil er auf fast alles gefaßt war, war er nicht vorbereitet, nichts zu sehen; und so, als die Glocke Eins schlug und keine Gestalt erschien, überfiel ihn ein heftiges Zittern. Fünf Minuten, zehn Minuten, eine Viertelstunde vergingen, aber es kam nichts. Die ganze Zeit über lag er auf seinem Bett recht in der Mitte eines Stromes rötlichen Lichtes, welches sich über ihn ausgoß, als die Glocke die Stunde verkündigte; und welches, weil es nur Licht war, viel beunruhigender als ein Dutzend Geister war, da es ihm unmöglich war zu erraten, was es bedeute oder was es wolle. Ja, er fürchtete zuweilen, er möchte in diesem Augenblick ein merkwürdiger Fall von Selbstentzündung sein, ohne den Trost zu haben, es zu wissen. Endlich jedoch fing er an zu denken, daß die Quelle dieses geisterhaften Lichtes wohl in dem anliegenden Zimmer sein möge, aus dem es bei näherer Betrachtung zu strömen schien. Wie dieser Gedanke die Herrschaft über seine Seele bekommen hatte, stand er leise auf und schlürfte in den Pantoffeln nach der Thür.

In demselben Augenblick, wo sich Scrooges Hand auf den Drücker legte, rief ihn eine fremde Stimme bei Namen und hieß ihn eintreten. Er gehorchte.

Es war sein eigenes Zimmer. Daran ließ sich nicht zweifeln. Aber eine wunderbare Umwandlung war mit ihm vorgegangen. Wände und Decke waren ganz mit grünen Zweigen bedeckt, daß es ganz aussah wie eine Laube, in der überall glänzende Beeren schimmerten. Die glänzenden, strammen Blätter der Stecheiche, der Mistel und des Epheus warfen das Licht zurück und erschienen wie ebensoviel kleine Spiegel. Eine so gewaltige Flamme loderte die Esse hinauf, wie dieses Spottbild eines Kamines in Scrooges oder Marleys Zeit seit vielen, vielen Wintern nicht gekannt hatte. Auf dem Fußboden waren zu einer Art von Thron Truthähne, Gänse, Wildbret, große Braten, Spanferkel, lange Reihen von Würsten, Pasteten, Plumpuddings, Austerfäßchen, glühende Kastanien, rotbäckige Äpfel, saftige Orangen, appetitliche Birnen, ungeheure Stollen und siedende Punschbowlen aufgehäuft, welche das Zimmer mit köstlichem Geruch erfüllten. Auf diesem Thron saß behaglich und mit fröhlichem Angesicht ein Riese, gar herrlich anzuschauen. In der Hand trug er eine brennende Fackel, fast wie ein Füllhorn gestaltet, und hielt sie hoch in die Höhe, um Scrooge damit zu beleuchten, wie er in das Zimmer guckte.

»Nur herein«, rief der Geist. »Nur herein, und lerne mich besser kennen.«

Scrooge trat schüchtern ein und senkte das Haupt vor dem Geiste. Er war nicht mehr der hartfühlende, nichtsscheuende Scrooge wie früher, und obgleich des Geistes Augen hell und mild glänzten, wünschte er ihnen doch nicht zu begegnen.

»Ich bin der Geist der heurigen Weihnacht«, sagte die Gestalt. »Sieh' mich an.«

Scrooge that es mit ehrfurchtsvollem Blick. Der Geist war in ein einfaches, dunkelgrünes Gewand, mit weißem Pelz verbrämt, gekleidet. Die breite Brust war entblößt, als verschmähe sie, sich zu verstecken. Auch die Füße waren bloß und schauten unter den weiten Falten des Gewandes hervor; und das Haupt hatte keine andere Bedeckung, als einen Stecheichenkranz, in dem hier und da Eiszapfen glänzten. Seine dunkelbraunen Locken wallten fessellos auf die Schultern. Sein munteres Gesicht, sein glänzendes Auge, seine fröhliche Stimme, sein ungezwungenes Benehmen, alles sprach von Offenheit und heiterm Sinn. Um den Leib trug er eine alte Degenscheide gegürtet; aber sie war von Rost zerfressen und kein Schwert stak darin.

»Du hast nie meinesgleichen vorher gesehen«, rief der Geist.

»Niemals«, entgegnete Scrooge.

»Hast dich nie mit den jüngern Gliedern meiner Familie abgegeben; ich meine (denn ich bin sehr jung) meine ältern Brüder, welche in den letztern Jahren geboren worden sind«, fuhr das Phantom fort.

»Ich glaube nicht«, sagte Scrooge. »Es thut mir leid, es nicht gethan zu haben. Hast du viele Brüder gehabt, Geist?«

»Mehr als achtzehnhundert«, sagte dieser.

»Eine schrecklich große Familie, wer für sie zu sorgen hat«, murmelte Scrooge.

Der Geist der heurigen Weihnacht stand auf.

»Geist«, sagte Scrooge demütig, »führe mich wohin du willst. Gestern Nacht wurde ich durch Zwang hinausgeführt und mir wurde eine Lehre gegeben, die jetzt im Wirken ist. Heute bin ich bereit zu folgen, und wenn du mir etwas zu lehren hast, will ich hören.«

»Berühre mein Gewand.«

Scrooge that, wie ihm gesagt worden und hielt es fest.

Stecheichen, Misteln, rote Beeren, Epheu, Truthähne, Gänse, Braten, Spanferkel, Würste, Austern, Pasteten, Puddings, Früchte und Punsch, alles verschwand augenblicklich. Auch das Zimmer verschwand, das Feuer, der rötliche Schimmer, die nächtliche Stunde, und sie standen in den Straßen der Stadt, am Morgen des Weihnachtstages, wo die Leute, denn es war sehr kalt, eine rauhe, aber muntere und nicht unangenehme Musik machten, wie sie den Schnee von dem Straßenpflaster und den Dächern der Häuser zusammenscharrten. Und daneben standen die Kinder und freuten sich und frohlockten, wie die Schneelawinen von den Dächern herunterstürzten und in künstliche Schneestürme zerstiebten.

Die Häuser erschienen schwarz und die Fenster noch schwärzer, verglichen mit der glatten, weißen Schneedecke auf den Dächern und dem schmutzigern Schnee auf den Straßen. In den letztern war er von den schweren Rädern der Wagen und Karren in tiefe Furchen aufgepflügt; Furchen, die sich hundert- und aberhundertmal kreuzten, wo eine Nebenstraße ausging, und in dem dicken, gelben Schmutz und halberstarrten Wasser labyrinthische Kanäle bildeten. Der Himmel war trübe und selbst die kürzesten Straßen schienen sich in einen dicken Nebel zu verlieren, dessen schwerere Teile in einem rußigen Regen niederfielen, als wenn alle Essen von England sich auf einmal entzündet hätten und jetzt nach Herzenslust brennten. Es war nichts Heiteres in der ganzen Umgebung und doch lag etwas in der Luft, was die klarste Sommerluft und die hellste Sommersonne nicht hätten verbreiten können.

Denn die Leute, welche den Schnee von den Dächern schaufelten, waren lustig und voll mutwilliger Laune. Sie riefen sich einander zu von den Dächern und wechselten dann und wann einen Schneeball – ein gutmütigerer Pfeil, als manches Wort – und lachten herzlich, wenn er traf und nicht weniger herzlich, wenn sie fehlschossen. Die Läden der Geflügelhändler waren noch halb offen und die der Fruchthändler strahlten in heller Freude. Da sah man große, runde, dickbäuchige Körbe voll Kastanien, gleich den Westen lustiger, alter Herren, an den Thüren lehnend, oder im apoplektischen Überfluß auf die Straße rollend. Da sah man braune, dickbäuchige, spanische Zwiebeln, in ihrer Fettheit spanischen Mönchen gleichend und mutwillig den Mädchen winkend, welche vorübergingen und verschämt nach dem Mistelzweige schielten. Da sah man Birnen und Äpfel in Pyramiden zusammengestellt; Trauben, die der Kaufmann in seiner Gutmütigkeit recht augenfällig im Gewölbe hängen ließ, daß den Vorübergehenden der Mund gratis wässere; Haufen von Haselnüssen, bemoost und braun, mit ihrem frischen Duft vergangene Streifereien in den Wald durch das raschelnde, fußhohe welke Laub zurückrufend; Norfolk-Biffins, fett und krispig, mit ihrer Bräune von den gelben Orangen abstechend und gar dringend bittend, daß man sie nach Hause tragen und nach Tische essen möge. Ja, selbst die Gold- und Silberfische, welche in einem Glas mitten unter den auserlesenen Früchten standen, obgleich von einem dick- und kaltblütigen Geschlechte, schienen zu wissen, daß etwas Besonderes los sei und schwammen um ihre kleine Welt in langsamer und leidenschaftsloser Bewegung.

Ach die Materialwarenläden! fast geschlossen waren sie, vielleicht ein oder zwei Laden vorgesetzt; aber welche Herrlichkeiten sah man durch diese Öffnungen! Nicht allein, daß die Wagschalen mit einem fröhlichen Klange auf den Ladentisch klirrten, oder daß der Bindfaden und seine Rolle so munter voneinander schieden, oder daß die Büchsen wie durch Zauberei blitzschnell hin und her fuhren, oder daß der vermischte Geruch von Kaffee und Thee der Nase so wohlthuend war, die Rosinen so wunderschön, die Mandeln so außerordentlich weiß, die Zimtstengel so lang und gerade, die andern Gewürze so köstlich, die eingemachten Früchte so dick mit geschmolzenem Zucker belegt waren, daß der kälteste Zuschauer entzückt wurde; nicht daß die Feigen so saftig und fleischig waren, oder daß die Brignolen in bescheidener Koketterie in ihren verzierten Büchsen erröteten, oder daß alles so gut zu essen oder so schön in seinem Weihnachtskleid war; das war es nicht allein. Die Kaufenden waren auch alle so eifrig und eilig in der Hoffnung des Festes, daß sie in der Thüre gegeneinander rannten, wie von Sinnen mit ihren Körben zusammenstießen und ihre Einkäufe vergaßen und wieder zurückliefen, um sie zu holen, und tausend ähnliche Irrtümer in der bestmöglichsten Laune begingen, während der Kaufmann und seine Leute so frisch und froh waren, daß die blanken Herzen, welche ihre Schürzen hinten zusammenhielten, ihre eigenen hätten sein können, die für aller Augen Besichtigung auswendig getragen wurden.

Aber bald riefen die Glocken nach den Kirchen und der Kapelle und in ihren besten Kleidern und mit ihren feiertäglichsten Gesichtern gingen die Leute durch die Straßen; und zu derselben Zeit strömten aus den Nebenstraßen und Gäßchen und namenlosen Winkeln zahllose Leute, welche ihr Mittagsessen zu dem Bäcker trugen. Der Anblick dieser Armen und doch so Glücklichen schien des Geistes Teilnahme am meisten zu erregen, denn er blieb mit Scrooge neben eines Bäckers Thür stehen, und indem er die Decken von den Schüsseln nahm, wie die Träger vorübergingen, bestreute er ihr Mahl mit Weihrauch von seiner Fackel. Es war eine gar wunderbare Fackel, denn ein paarmal, als ein paar von den Leuten zusammengerannt waren und einige heftige Worte fielen, besprengte er sie mit einigen Tropfen Thau von seiner Fackel und ihre gute Laune war augenblicklich wiederhergestellt. Denn sie sagten, es sei eine Schande, sich am Weihnachtstage zu zanken.

Jetzt schwiegen die Glocken und die Läden der Bäcker wurden geschlossen; und doch schwebte noch ein Schattenbild von allen diesen Mittagsessen und dem Fortschreiten ihrer Zubereitung in dem gethauten, nassen Fleck über jedem Ofen; und vor ihnen rauchte das Pflaster, als wenn selbst die Steine kochten.

»Ist eine besondere Kraft in dem, was deine Fackel ausstreut?« frug Scrooge.

»Ja. Meine eigene.«

»Und wirkt sie auf jedes Mittagsmahl an diesem Tage?« fragte Scrooge.

»Auf jedes, welches gern gegeben wird. Auf ein ärmliches am meisten.«

»Warum auf ein ärmliches am meisten?«

»Weil das sie am meisten bedarf.«

»Geist«, sagte Scrooge nach einem augenblicklichen Sinnen, »mich wundert's, daß du von allen Wesen auf den vielen Welten um uns wünschen solltest, diesen Leuten die Gelegenheit unschuldigen Genusses zu rauben.«

»Ich?« rief der Geist.

»Du willst ihnen die Mittel nehmen, jeden siebenten Tag zu Mittag zu essen, und doch ist das der einzige Tag, wo sie überhaupt zu Mittag essen können«, sagte Scrooge.

»Ich?« rief der Geist.

»Verzeihe mir, wenn ich unrecht habe. Es ist in deinem Namen geschehen oder wenigstens in dem deiner Familie«, sagte Scrooge.

»Es giebt Menschen auf Eurer Erde«, entgegnete der Geist, »welche uns kennen wollen und ihre Thaten des Stolzes, der Mißgunst, des Hasses, des Neides, des Fanatismus und der Selbstsucht in unserm Namen thun; die uns in allem, was zu uns gehört, so fremd sind, als wenn sie nie gelebt hätten. Bedenke das und schreibe ihre Thaten ihnen selbst zu und nicht uns.«

Scrooge versprach es und sie gingen unsichtbar, wie bisher, weiter in die Vorstadt. Es war eine wunderbare Eigenschaft des Geistes (Scrooge hatte sie bei dem Bäcker bemerkt), daß er, trotz seiner riesenhaften Gestalt, doch überall leicht Platz fand; und daß er unter einem niedrigen Dach ebenso schön und wie ein übernatürliches Wesen dastand, wie im geräumigen hohen Saal.

Vielleicht war es die Freude, welche der gute Geist darin fühlte, diese Macht zu zeigen, vielleicht auch seine warmherzige, freundliche Natur und seine Teilnahme für alle Armen, was ihn gerade zu Scrooges Diener führte; denn er ging wirklich hin und nahm Scrooge mit, der sich an sein Gewand festhielt. Auf der Schwelle stand der Geist lächelnd still und segnete Bob Cratchits Wohnung mit dem Thau seiner Fackel. Bedenkt nur, Bob hatte nur fünfzehn »Bob«[2] die Woche; er steckte Sonnabends nur fünfzehn seiner Namensvettern in die Tasche; und doch segnete der Geist der heurigen Weihnacht sein Haus.

Mr. Cratchits Frau, in einem ärmlichen, zweimal gewendeten Kleid, schön aufgeputzt mit Bändern, die billig sind, aber hübsch genug für sechs Pence aussehen, stand im Zimmer und deckte den Tisch. Belinda Cratchit, ihre zweite Tochter, half ihr, während Mr. Peter Cratchit mit der Gabel in eine Schüssel voll Kartoffeln stach und die Spitzen seines ungeheuren Hemdkragens (Bobs Privateigentum, seinem Sohn und Erben zu Ehren des Festes geliehen) in den Mund kriegte, voller Stolz, so schön angezogen zu sein und voll Sehnsucht, sein weißes Hemd in den fashionablen Parks zur Schau zu tragen. Jetzt kamen die zwei kleinern Cratchits, ein Mädchen und ein Knabe, hereingesprungen und schrieen, sie hätten an des Bäckers Thür die Gans gerochen und gewußt, daß es ihre eigene sei; und in freudigen Träumen von Salbei und Zwiebeln tanzten sie um den Tisch und erhoben Master Peter Cratchit bis in den Himmel, während er (nicht stolz, obgleich der Hemdkragen ihn fast erstickte) das Feuer blies, bis die Kartoffeln aufwallend an den Topfdeckel klopften, daß man sie herauslassen und schälen möge.

»Wo bleibt nur der Vater?« sagte Mrs. Cratchit. »Und dein Bruder Tiny Tim; und Martha kam vorige Weihnachten eine halbe Stunde früher.«

2 Schillinge

»Hier ist Martha, Mutter«, sagte ein Mädchen, zur Thür hereintretend.

»Hier ist Martha, Mutter«, riefen die beiden kleinen Cratchits. »Hurra, das ist eine Gans, Martha.«

»Gott grüße dich, liebes Kind! wie spät du kommst!« sagte Mrs. Cratchit, sie ein dutzendmal küssend und mit zuthulichem Eifer ihr Shawl und Hut abnehmend.

»Wir hatten gestern Abend viel zurecht zu machen«, antwortete das Mädchen, »und mußten heute alles fertig machen, Mutter.«

»Nun, es schadet nichts, da du doch da bist«, sagte Mrs. Cratchit. »Setze dich an das Feuer, liebes Kind, und wärme dich.«

»Nein, nein, der Vater kommt«, riefen die beiden kleinen Cratchits, die überall zu gleicher Zeit waren. »Versteck' dich, Martha, versteck' dich!«

Martha versteckte sich und jetzt trat Bob herein, der Vater. Wenigstens drei Fuß, ungerechnet der Fransen, hing der Shawl auf seine Brust herab und die abgetragnen Kleider waren geflickt und gebürstet, um ihnen ein Ansehen zu geben. Tiny Tim saß auf seiner Schulter. Der arme Tiny Tim! er trug eine kleine Krücke und seine Glieder wurden von eisernen Schienen gestützt.

»Nun, wo ist unsere Martha?« rief Bob Cratchit, im Zimmer herumschauend.

»Sie kommt nicht«, sagte Mrs. Cratchit.

»Sie kommt nicht?« sagte Bob mit einer plötzlichen Abnahme seiner fröhlichen Laune; denn er war den ganzen Weg von der Kirche Tims Pferd gewesen und im vollen Laufe nach Hause gerannt. »Sie kommt nicht zum Weihnachtsabend?«

Martha wollte ihm keinen Schmerz verursachen, selbst nicht aus Scherz, und so trat sie hinter der Thür hervor und schlang die Arme um seinen Hals, während die beiden kleinen Cratchits sich Tiny Tims bemächtigten und ihn nach dem Waschhause trugen, damit er den Pudding im Kessel singen höre.

»Und wie hat sich der kleine Tim aufgeführt?« frug Mrs. Cratchit, als sie Bob wegen seiner Leichtgläubigkeit geneckt und Bob seine Tochter nach Herzenslust geküßt hatte.

»Wie ein Goldkind«, sagte Bob, »und noch besser. Ich weiß nicht, wie es zugeht, aber er wird jetzt so träumerisch vom Alleinsitzen, und sinnt sich die seltsamsten Dinge aus. Heute wie wir nach Haus gingen, sagte er, er hoffe, die Leute sähen ihn in der Kirche, denn er sei ein

Krüppel, und es wäre vielleicht gut für sie, sich am Christtag an den zu erinnern, der Lahme gehend und Blinde sehend machte.«

Bobs Stimme zitterte, als er dies sagte und zitterte noch mehr, als er hinzufügte, daß Tiny Tim stärker und gesunder werden würde.

Man hörte jetzt seine kleine Krücke auf dem Fußboden und ehe weiter ein Wort gesprochen worden, war Tim wieder da und wurde von seinem Bruder und seiner Schwester nach seinem Stuhl neben dem Feuer geführt. Während jetzt Bob, seine Rockaufschläge in die Höhe schlagend – als wenn es möglich wäre, sie noch mehr abzutragen – in einer Bowle aus Cognac und Citronen eine heiße Mischung zubereitete, und sie umrührte und wieder an das Feuer setzte, damit sie sich warm halten möge, gingen Master Peter und die zwei sich überall befindenden kleinen Cratchits, um die Gans zu holen, mit der sie bald in feierlichem Zuge zurückkehrten.

Jetzt entstand ein solcher Lärm, als ob eine Gans der seltenste aller Vögel wäre, ein gefiedertes Wunder, gegen das ein schwarzer Schwan etwas ganz Gewöhnliches wäre, und wirklich war sie es auch in diesem Hause. Mrs. Cratchit ließ die Bratenbrühe aufwallen; Master Peter schmorte die Kartoffeln mit unglaublichem Eifer; Miß Belinda machte die Äpfelsauce süß; Martha stäubte die gewärmten Teller ab; Bob trug Tiny Tim neben sich in eine behagliche Ecke am Tisch; die beiden kleinen Cratchits stellten die Stühle zurecht, wobei sie sich nicht vergaßen, und nahmen ihren Posten ein, den Löffel in den Mund steckend, damit sie nicht nach Gans schrieen, ehe die Reihe an sie kam. Endlich wurde das Gericht aufgetragen und das Tischgebet gesprochen. Darauf folgte eine atemlose Pause, als Mrs. Cratchit, das Vorschneidemesser langsam von der Spitze bis zum Heft betrachtend, sich zurecht machte, es der Gans in die Brust zu stoßen; aber wie sie es that, und wie der lang erwartete Strom des Gefüllsels sich ergoß, ertönte ein freudiges Murmeln um den ganzen Tisch, und selbst Tiny Tim, durch die beiden kleinen Cratchits in Feuer gebracht, schlug mit dem Heft seines Messers auf den Tisch und rief ein schwaches Hurra.

Nie hatte es so eine Gans gegeben. Bob sagte, er glaube nicht, daß jemals eine solche Gans gebraten worden wäre. Ihre Zartheit und ihr Fett, ihre Größe und ihre Billigkeit waren der Gegenstand allgemeiner Bewunderung. Mit Hilfe der Äpfelsauce und der geschmorten Kartoffeln, gab sie ein hinreichendes Mahl für die ganze Familie; und wie Mrs. Cratchit einen einzigen kleinen Knochen noch auf der Schüssel liegen sah, sagte sie mit großer Freude, sie hätten doch nicht alles aufgegessen! Aber jeder von ihnen hatte genug und die kleinen Cratchits waren bis an die Augenbrauen mit Salbei und Zwiebeln eingesalbt. Jetzt wurden die Teller von Miß Belinda gewechselt und Mrs. Cratchit verließ das Zimmer allein – denn sie war zu unruhig, Zeugen dulden zu können – um den Pudding herauszunehmen und hereinzubringen.

Wenn er nicht ausgebacken wäre! Wenn er beim Herausnehmen in Stücke zerfiele! Wenn jemand über die Mauer des Hinterhauses geklettert wäre und ihn gestohlen hätte, während sie sich an der Gans erquickten – ein Gedanke, bei dem die beiden kleinen Cratchits bleich vor Schrecken wurden! Alles mögliche Schreckliche dachte man sich.

Hallo eine Wolke Rauch! der Pudding war aus dem Kessel genommen. Ein Geruch, wie an einem Waschtag! das war die Serviette. Ein Geruch wie in einem Speisehause, mit einem Pastetenbäcker auf der einen und einer Wäscherin auf der andern Seite! Das war der Pudding. In einer halben Minute trat Mrs. Cratchit herein, aufgeregt, aber stolz lächelnd und vor sich den Pudding, hart und fest wie eine gefleckte Kanonenkugel, in einem Viertelquart Rum flammend und in der Mitte mit der festlichen Stecheiche geschmückt.

O, ein wunderbarer Pudding! Bob Cratchit sagte mit ruhiger und sicherer Stimme, er halte das für das größte Kochkunststück, welches Mrs. Cratchit seit ihrer Heirat verrichtet habe. Mrs. Cratchit sagte, jetzt da die Last von ihrem Herzen sei, wolle sie nur gestehen, daß sie wegen der Menge des Mehls gar sehr in Angst gewesen sei. Jeder hatte darüber etwas zu sagen, aber keiner sagte oder dachte, es sei doch ein kleiner Pudding für eine so große Familie. Das wäre offenbare Ketzerei gewesen. Jeder Cratchit würde sich geschämt haben, so etwas nur zu denken.

Endlich waren sie mit dem Essen fertig, der Tisch war abgedeckt, der Herd gekehrt und das Feuer aufgeschürt. Das Gemisch in der Bowle wurde gekostet und für fertig erklärt, Äpfel und Apfelsinen auf den Tisch gesetzt und ein paar Hände voll Kastanien auf das Feuer geschüttet. Dann setzte sich die ganze Familie Cratchit um den Kamin in einem Kreise, wie es Bob Cratchit nannte, obgleich es eigentlich nur ein Halbkreis war; Bob in der Mitte und neben ihm der Gläservorrat der Familie; zwei Paßgläser und ein Milchkännchen ohne Henkel.

Diese Gefäße aber hielten das heiße Gemisch aus der Bowle so gut, als wenn es goldene Pokale gewesen wären, und Bob schenkte es mit strahlenden Blicken ein, während die Kastanien auf dem Feuer spuckten und platzten. Dann schlug Bob den Toast vor: »Uns allen eine fröhliche Weihnacht, meine Lieben! Gott segne uns!«

Die ganze Familie wiederholte den Toast.

»Gott segne uns alle und jeden!« sagte Tiny Tim, der letzte von allen.

Er saß dicht neben seinem Vater auf seinem kleinen Stuhle. Bob hielt seine kleine welke Hand in der seinigen, als wenn er das Kind liebe und wünsche, es bei sich zu behalten und fürchte, es möchte ihm bald genommen werden.

»Geist«, sagte Scrooge mit einer Teilnahme, wie er sie noch nie gefühlt hatte, »sag' mir, wird Tiny Tim leben bleiben?«

»Ich sehe einen leeren Stuhl«, antwortete der Geist, »in der Kaminecke und eine Krücke ohne einen Besitzer sorgfältig aufbewahrt. Wenn die Zukunft diese Schatten nicht ändert, wird das Kind sterben.«

»Nein, nein«, sagte Scrooge. »Ach nein, guter Geist, sage, daß er leben bleiben wird.«

»Wenn die Zukunft diese Schatten nicht verändert, wird kein anderer meines Geschlechtes«, antwortete der Geist, »das Kind noch hier finden. Was thut es auch? Wenn es sterben muß, ist es besser, es thue es gleich und vermindere die überflüssige Bevölkerung.«

Scrooge senkte das Haupt, seine eigenen Worte von dem Geiste zu hören, und fühlte sich von Reue und Schmerz überwältigt.

»Mensch«, sagte der Geist, »wenn du ein menschliches Herz hast und kein steinernes, so hüte dich, so heuchlerisch zu reden, bis du weißt, was und wo dieser Überfluß ist. Willst du entscheiden, welche Menschen leben, welche Menschen sterben sollen? Vielleicht bist du in den Augen des Himmels unwürdiger und unfähiger zu leben, als Millionen, gleich dieses armen Mannes Kind. O Gott, das Gewürme auf dem Blatt über die zu vielen Lebenden unter seinen hungrigen Brüdern im Staube reden zu hören!«

Scrooge nahm des Geistes Vorwurf demütig hin und schlug die Augen nieder, aber er blickte schnell wieder in die Höhe, wie er seinen Namen nennen hörte.

»Es lebe Mr. Scrooge!« sagte Bob, »Mr. Scrooge, der Schöpfer dieses Festes!«

»Der Schöpfer dieses Festes, wahrhaftig!« rief Mrs. Cratchit mit glühendem Gesicht. »Ich wollte, ich hätte ihn hier. Ich wollte ihm ein Stück von meiner Meinung zu kosten geben, und ich hoffe, sie würde ihm schmecken.«

»Liebe Frau«, sagte Bob, »die Kinder! – es ist Weihnachten.«

»Freilich muß es Weihnachten sein«, sagte sie, »wenn man die Gesundheit eines so niederträchtigen, geizigen, fühllosen Menschen, wie Scrooge ist, trinken kann. Und du weißt es, Robert, daß er es ist, niemand weiß es besser als du!«

»Liebe Frau«, antwortete Bob mild, »es ist Weihnachten.«

»Ich will seine Gesundheit trinken, dir und dem Feste zu gefallen«, sagte Mrs. Cratchit, »nicht seinetwegen. Möge er lange leben! Ein fröhliches Weihnachten und ein glückliches neues Jahr! – Er wird sehr fröhlich und sehr glücklich sein, das glaub' ich.« Die Kinder tranken die Gesundheit nach ihr. Es war das erste, was sie an diesem Abend ohne Herzlichkeit und Wärme vernahmen. Tiny Tim trank sie zuletzt, aber er gab keinen Pfifferling darum. Scrooge war der Popanz der Familie. Die Erwähnung seines Namens warf über alle einen düstern Schatten, der volle fünf Minuten zum Verschwinden brauchte.

Wie er weg war, waren sie zehnmal lustiger als vorher, schon weil sie Scrooge, den Schrecklichen, los waren. Bob Cratchit erzählte, wie er eine Stelle für Mr. Peter in Aussicht habe, welche diesem ganzer fünf und einen halben Schilling wöchentlich einbringen werde. Die beiden kleinen Cratchits lachten fürchterlich bei dem Gedanken, Petern als Geschäftsmann zu sehen; und Peter selbst blickte gedankenvoll zwischen seinen Halskragen hervor in das Feuer, als denke er nach, in welchen Aktien er wohl seine Ersparnisse anlegen würde, wenn er in Besitz dieser unglaublichen Summe käme. Martha, welche bei einer Putzmacherin Gehilfin war, erzählte ihnen, was für Arbeit sie jetzt mache und wie viel Stunden sie in der guten Zeit arbeiten müsse und wie sie morgen früh auszuschlafen gedenke; denn morgen war für sie ein Feiertag. Auch erzählte sie, wie sie vor einigen Tagen eine Gräfin und einen Lord gesehen und daß der Lord fast so groß wie Peter gewesen sei, bei welchen Worten Peter seinen Hemdkragen so hoch in die Höhe zupfte, daß sein Kopf dazwischen verschwand. Während dieser ganzen Zeit gingen die Kastanien und der Punsch ringsum und dazwischen sang Tiny Tim mit seiner klagenden Stimme ein Lied von einem Kind, was sich im Schnee verlaufen, und sang es recht hübsch.

In alle dem war nichts Besonderes. Es waren keine hübschen Gesichter in der Familie; sie waren nicht schön angezogen; ihre Schuhe waren nichts weniger als wasserdicht; ihre Kleider waren ärmlich; und Peter mochte wohl das Innere eines Pfandleiherladens kennen. Aber sie waren glücklich, voller Dank für ihre bescheidenen Freuden, einig untereinander und zufrieden; und als ihre Gestalten verblichen und in dem scheidenden Lichte der Fackel des Geistes noch glücklicher aussahen, verweilte Scrooges Auge immer noch auf ihnen und vor allem auf Tiny Tim.

Es war jetzt dunkel geworden und es fiel ein starker Schnee; und wie Scrooge und der Geist durch die Straßen gingen, war der Glanz der lodernden Feuer in Küchen, Putzstuben und aller Art Gemächern wundervoll über alle Maßen. Hier zeigte die flackernde Flamme die Vorbereitungen zu einem traulichen Mahl, die heißen Teller, wie sie sich vor dem Feuer durch und durch wärmten und die dunkelroten Gardinen, bereit, Kälte und Nacht auszuschließen. Dort liefen alle Kinder des Hauses hinaus auf die beschneite Straße, ihren verheirateten Schwestern, Brüdern, Vettern, Basen, Onkeln und Tanten entgegen, um sie zuerst zu begrüßen. Hier zeigten sich an den Fenstern Schatten versammelter Gäste; und dort eine Gruppe hübscher Mädchen in Pelzkragen und Pelzstiefeln, alle zugleich redend und mit leichten Schritten in eines Nachbars Haus eilend. Wehe dem Junggesellen, der sie dort ganz glühend eintreten sah und die kleinen Hexen wußten das recht gut!

Wenn man nach der Zahl der Leute hätte urteilen wollen, die zu freundschaftlichen Besuchen eilten, hätte man glauben können, es sei niemand da, sie zu bewillkommnen. Aber anstatt dessen erwartete jedes Haus Gäste und in jedem Kamine loderte die Flamme. Wie sich der Geist freute! wie er seine breite Brust entblößte und seine volle Hand aufthat und dahinschwebte, freigebig seine heitere und harmlose Lust über alles in seinem Bereiche ausschüttend! Selbst der Laternenmann, welcher durch die dunklen Straßen rannte, um ihre trüben Nebel mit Flecken Licht zu erhellen und der bereits angeputzt war, um den Abend irgendwo zuzubringen, lachte laut auf, wie der Geist vorüberschwebte.

Und jetzt, ohne daß der Geist vorher etwas gesagt hätte, standen sie auf einer kahlen, öden Haide, wo ungeheure Felsblöcke umhergestreut waren, als wäre hier eine Begräbnisstätte von Riesen; und Wasser breitete sich aus, wo es nur Lust hatte – oder würde es gethan haben, wenn es der Frost nicht gefangen hielt; und nichts wuchs dort, als Moos und Gestrüpp und hartes, spitziges Gras. Tief im Westen hatte die untergehende Sonne einen Streifen glühenden Rotes gelassen, der einen Augenblick auf die öde Steppe niederschaute, wie ein zürnendes Auge und immer tiefer und tiefer sank, bis er sich im Dunkel der tiefsten Nacht verlor.

»Was ist das für ein Ort?« frug Scrooge.

»Ein Ort, wo Bergleute in den Tiefen der Erde arbeiten«, antwortete der Geist. »Aber sie kennen mich. Sieh!«

Ein Licht glänzte aus dem Fenster einer Hütte und sie schwebten schnell darauf zu. Hier fanden sie eine fröhliche Gesellschaft um ein wärmendes Feuer sitzen. Ein alter, alter Mann und eine greise Frau mit ihren Kindern und Enkeln und Urenkeln, alle in festlichen Kleidern. Der Alte sang mit einer Stimme, die nur selten das Heulen des Windes auf der Einöde übertönte, ein Weihnachtslied; es war schon ein sehr altes Lied gewesen, als er noch ein Knabe war; und von Zeit zu Zeit fielen sie alle im Chore ein. Und stets wie ihre Stimmen ertönten, wurde der Alte lebendig und laut; und immer, wie sie aufhörten, sank seine Kraft wieder.

Der Geist verweilte hier nicht, sondern befahl Scrooge, sich an sein Gewand zu halten. Sie schwebten über die Öde, aber wohin? doch nicht aufs Meer? Aufs Meer! Zu seinem Schrecken sah Scrooge hinter sich das Land verschwinden; und sein Ohr wurde betäubt von dem Donner der Wogen, wie sie unter den grausenden Höhlen, welche sie genagt hatten, heulten und brüllten und wüteten und mit wildem Grimm die Erde zu unterwühlen trachteten.

Auf einer einsamen, halb im Wasser versunkenen Klippe, wohl eine Meile vom Lande, stand ein einsamer Leuchtturm. Das ganze öde Jahr hindurch schäumten und tosten um ihn die Wogen. Große Haufen von Seegras umgaben seinen Fuß und Sturmvögel – geboren vom Winde, konnte man glauben, wie Seegras von den Wellen – hoben sich und senkten sich um seine Spitze, wie die wogenden Wellen unten, über die sie segelten.

Aber selbst hier hatten die zwei Turmwächter ein Feuer angezündet, welches durch das Guckloch in der dicken, steinernen Mauer einen hellglänzenden Streifen auf die nächtliche See hinauswarf. Die harten Hände sich über den Tisch hinreichend, an dem sie saßen, wünschten sie sich eine fröhliche Weihnacht und stießen mit den Groggläsern darauf an; und einer der beiden, der Ältere noch dazu, mit einem Gesicht von Sturm und Wetter gebräunt und gefurcht, wie das Gallionbild eines alten Schiffes, stimmte ein kräftiges Lied an, das wie ein Sturmwind schallte.

Wieder schwebte der Geist über die dunkelwogende See dahin, immer weiter und weiter, bis sie, fern von jeder Küste, wie der Geist zu

Scrooge sagte, auf einem Schiffe niedersanken. Sie standen neben dem Steuermann an dem Rade, dem Ausgucker vorn, neben den Offizieren, welche die Wacht hatten. Wie dunkle, gespenstische Gestalten standen diese auf ihrem Posten, aber jeder von ihnen summte ein Weihnachtslied, oder hatte einen Weihnachtsgedanken, oder sprach leise zu seinen Kameraden von einem früheren Weihnachtsabend und heimatlichen Hoffnungen, die sich daran knüpften. Und jeder einzelne an Bord, wachend oder schlafend, gut oder schlecht, hatte an diesem Tage ein herzlicheres Wort für seine Kameraden gehabt, als an jedem andern Tag des Jahres, und wenigstens einigermaßen ihn gefeiert; und hatte an die gedacht, die sich jetzt seiner in der Ferne erinnerten und hatte gewußt, daß sie jetzt seiner freundlich gedachten.

Eine große Überraschung war es für Scrooge, während er dem Stöhnen des Windes lauschte und nachdachte, wie schauerlich es doch sei, durch die öde Nacht über einen unbekannten Abgrund, der Geheimnisse barg, so tief wie der Tod, zu schiffen; eine große Überraschung war es für Scrooge, sagte ich, plötzlich ein herzliches Lachen zu vernehmen. Noch größer war Scrooges Überraschung, als er darin das Lachen seines eigenen Neffen erkannte und sich in einem hellen, behaglich warmen Zimmer wiederfand, während der Geist an seiner Seite stand und mit beifälligem, mildem Lächeln auf diesen selbigen Neffen herabblickte.

»Haha!« lachte Scrooges Neffe. »Hahaha!«

Wenn durch einen sehr unwahrscheinlichen Zufall jemand einen Menschen kennt, der sich glücklicher fühlt, zu lachen, als Scrooges Neffe, so kann ich nur sagen, ich möchte ihn auch kennen. Stellt mich ihm vor und ich werde seine Freundschaft kultivieren.

Es ist doch eine gerechte und schöne Anordnung, daß, wie Krankheit und Kummer ansteckend sind, auch in der ganzen weiten Welt nichts so unwiderstehlich ansteckend ist, wie Lachen und Fröhlichkeit.

Wie Scrooges Neffe lachte und sich den Bauch hielt und mit dem Kopfe wackelte und die allermerkwürdigsten Gesichter schnitt, lachte Scrooges Nichte (durch Heirat) so herzlich wie er. Und die versammelten Freunde, nicht faul, fielen in den Lachchor ein.

»Haha! Haha! Haha!«

»Er sagte, Weihnachten wäre dummes Zeug, so wahr ich lebe«, rief Scrooges Neffe. »Er glaubt es auch.«

»Die Schande ist um so größer für ihn, Fritz«, sagte Scrooges Nichte entrüstet. Gott segne die Frauen! Sie thun nie etwas halb. Sie sind immer in vollem Ernste.

Sie war hübsch, sehr hübsch. Sie hatte ein liebliches, schelmisches Gesicht; einen frischen kleinen Mund, der zum Küssen geschaffen schien – wie er es ohne Zweifel auch war; alle Arten lieber kleiner Grübchen um das Kinn, welche ineinander flossen, wenn sie lachte; und das sonnenhellste Paar Augen, welches je erblickt wurde. Ja, sie war reizend, liebenswürdig, hinreißend.

»Es ist ein komischer alter Kerl«, sagte Scrooges Neffe, »das ist wahr; und nicht so angenehm, wie er sein könnte, doch seine Fehler bestrafen sich selbst und ich habe ihn nicht zu tadeln.«

»Er muß sehr reich sein, Fritz«, meinte Scrooges Nichte. »Wenigstens sagst du es immer.«

»Was geht das uns an, Liebe!« sagte Scrooges Neffe. »Sein Reichtum nützt ihm nichts. Er thut nichts Gutes damit. Er macht sich nicht einmal selbst das Leben damit angenehm. Er hat nicht das Vergnügen, zu denken – hahaha – daß er uns am Ende damit eine Freude machen wird.«

»Ich habe keine Geduld mit ihm«, bemerkte Scrooges Nichte. Die Schwester von Scrooges Nichte und all die anderen Damen waren derselben Meinung.

»O, ich habe Geduld«, sagte Scrooges Neffe. »Mir thut er leid; ich könnte nicht bös auf ihn werden, selbst wenn ich's versuchte. Wer leidet unter seiner bösen Laune? Er selber, weiter niemand. Jetzt hat er sich in den Kopf gesetzt, uns nicht leiden zu können und will nicht unsere Einladung zum Mittagsessen annehmen. Was ist die Folge davon? Er verliert nicht viel an unserm Essen.«

»Nun, ich meine, er verliert ein sehr gutes Essen«, unterbrach ihn Scrooges Nichte. Die anderen sagten dasselbe und man konnte ihnen die Kompetenz nicht bestreiten, weil sie eben zu essen aufgehört hatten und jetzt bei dem Dessert bei Lampenlicht um den Kamin saßen.

»Nun, es freut mich, das zu hören«, sagte Scrooges Neffe, »weil ich kein großes Vertrauen in diese jungen Hausfrauen habe. Was sagen Sie dazu, Topper?«

Ganz klärlich war's, Topper hatte ein Auge auf eine der Schwestern von Scrooges Nichte geworfen, denn er antwortete, ein Hagestolz sei ein unglücklicher, heimatloser Mensch, der kein Recht habe, eine Meinung über diesen Gegenstand auszusprechen; bei welchen Worten die Schwester von Scrooges Nichte – die Dicke mit dem Spitzenkragen, nicht die mit der Rose im Haar – rot wurde.

»Weiter, weiter, Fritz!« sagte Scrooges Nichte, in die Hände klatschend. »Er bringt nie zu Ende, was er angefangen hat! Er ist ein so närrischer Kerl.«

Scrooges Neffe schwelgte in einem andern Gelächter, und es war unmöglich, sich von der Ansteckung fern zu halten, obgleich die dicke Schwester es sogar mit *quatre voleurs* versuchte: sein Beispiel wurde einstimmig nachgeahmt.

»Ich wollte nur sagen«, sagte Scrooges Neffe, »daß die Folge seines Mißfallens an uns und seiner Weigerung, mit uns fröhlich zu sein, die ist, daß er einige angenehme Augenblicke verliert, welche ihm nicht schaden würden. Gewiß verliert er angenehmere Unterhaltung, als ihm seine eigenen Gedanken in seinem dumpfigen alten Comptoir oder in seiner Wohnung geben. Ich denke ihm jedes Jahr die Gelegenheit dazu zu geben, ob es ihm nun gefällt oder nicht, denn er dauert mich. Er mag auf Weihnachten schimpfen, bis er stirbt, aber er muß doch endlich besser davon denken, wenn er mich jedes Jahr in guter Laune zu ihm kommen sieht, mit den Worten: Onkel Scrooge, wie befinden Sie sich? Wenn es ihm nur den Gedanken eingiebt, seinem armen Diener fünfzig Pfund zu hinterlassen, so ist das doch wenigstens etwas; und ich glaube, ich packte ihn gestern.«

Es war jetzt an ihnen die Reihe zu lachen, bei dem Gedanken, daß er Scrooge gepackt hätte. Aber da er durch und durch gutmütig war und sich nicht sehr darum kümmerte, über was sie lachten, wenn sie nur überhaupt lachten, so fiel er in ihre Fröhlichkeit ein und ließ die Flasche munter herum gehen.

Nach dem Thee war Musik. Denn sie waren eine musikalische Familie und wußten, was sie thaten, wenn sie einen Glee oder Catch sangen, darauf könnt ihr euch verlassen, vorzüglich Topper, der den Baß brummen konnte nach Noten, ohne daß die großen Adern auf der Stirn anschwollen, oder sein Gesicht rot wurde. Scrooges Nichte spielte die Harfe recht gut; und spielte unter anderen Stücken auch ein kleines Liedchen (ein bloßes Nichts, ihr hättet es in zwei Minuten pfeifen gelernt), welches das Kind, von dem Scrooge aus der Schule geholt worden war, wie ihn der Geist der vergangenen Weihnachten gezeigt hatte, oft gesungen hatte. Als Scrooge dieses Liedchen hörte, trat alles, was ihm der Geist gezeigt hatte, wieder vor seine Seele; er wurde weicher und weicher und dachte, wenn er es vor Jahren oft hätte hören können, so hätte er die gemütlichen Seiten des Lebens genießen können, ohne erst zu des Totengräbers Spaten, der Jakob Marley begraben, seine Zuflucht nehmen zu müssen.

Aber sie widmeten nicht den ganzen Abend der Musik. Nach einer Weile fingen sie Pfänderspiele an, denn es ist gut zuweilen Kind zu sein und vorzüglich zu Weihnachten, als der Gründer dieses Festes selbst ein Kind war. Doch halt, erst spielten sie noch Blindekuh. Und ich glaube ebensowenig, daß Topper wirklich blind war, als ich glaube, er hätte Augen in seinen Stiefeln gehabt. Ich vermute, es war zwischen ihm und Scrooges Neffen abgekartet und der Geist der heurigen Weihnacht wußte es. Die Art, wie er die dicke Schwester in dem Spitzenkragen verfolgte, war eine Beleidigung der menschlichen Leichtgläubigkeit. Wo sie ging, ging er auch, die Feuereisen umstoßend, über Stühle stolpernd, an das Piano anrennend, sich in den Gardinen verwirrend. Immer wußte er, wo die dicke Schwester war. Wenn jemand gegen ihn gefallen wäre, wie einige thaten, oder sich vor ihn hingestellt hätte, würde er gethan haben, als bemühe er sich, ihn zu ergreifen, wäre aber augenblicklich umgekehrt, der dicken Schwester nach. Sie rief oft, das sei nicht ehrlich und wirklich war es das auch nicht. Aber endlich hatte er sie gefunden und trotz ihres Sträubens sperrte er sie in eine Ecke, wo keine Flucht möglich war; und da wurde seine Aufführung ganz abscheulich. Denn sein Vorgeben, er kenne sie nicht: er müsse ihren Kopfputz anfassen und, um sie zu erkennen, einen gewissen Ring auf ihrem Finger und eine gewisse Kette um ihren Hals befühlen, war ganz, ganz abscheulich! Und gewiß sagte sie ihm auch ihre Meinung darüber, denn als ein anderer Blinder an der Reihe war, waren sie hinter den Gardinen sehr vertraut miteinander.

Scrooges Nichte nahm nicht mit an dem Blindekuhspiele teil, sondern saß gemütlich in einer traulichen Ecke in einem Lehnstuhle mit einem Fußbänkchen, und der Geist und Scrooge standen dicht hinter ihr. Aber Pfänder spielte sie mit und liebte ihre Liebe mit allen Buchstaben des Alphabets zur Bewunderung. Auch in dem Spiele: Wie, wenn und wo, war sie sehr stark und stellte zur geheimen Freude von Scrooges Neffen ihre Schwestern gar sehr in Schatten, obgleich sie auch ganz gescheite Mädchen waren, wie uns Topper hätte sagen können. Es mochten ungefähr zwanzig Personen da sein, junge und alte, aber sie spielten alle und auch Scrooge spielte mit; denn in seiner Teilnahme an dem Geschehenen ganz vergessend, daß ihnen seine Stimme nicht hörbar war, sagte er oft seine Antwort auf die Fragen ganz laut und riet auch oft ganz richtig.

Dem Geiste gefiel es sehr, ihn in dieser Laune zu sehen und er blickte ihn so freundlich an, daß Scrooge wie ein Knabe ihn bat, noch warten zu dürfen, bis die Gäste fortgingen. Aber der Geist sagte, dies könne nicht geschehen!

»Es fängt ein neues Spiel an«, sagte Scrooge. »Nur eine einzige halbe Stunde, Geist.«

Es war ein Spiel, was man Ja und Nein nennt, wo Scrooges Neffe sich etwas zu denken hatte und die anderen erraten mußten: was; auf ihre Fragen brauchte er bloß mit Ja oder Nein zu antworten. Die schnell aufeinander folgenden Fragen, die ihm vorgelegt wurden, stellten heraus, daß er sich ein Tier dachte, ein lebendiges Tier, ein häßliches Tier, ein wildes Tier, ein Tier, das zuweilen brummte und zuweilen sprach und in London sich aufhielt und in den Straßen herumlief und nicht für Geld gezeigt und nicht herumgeführt würde und nicht in einer Menagerie sei und nicht geschlachtet werde, und weder ein Pferd, noch ein Esel, noch eine Kuh, noch ein Ochs, noch ein Tiger, noch ein Hund, noch ein Schwein, noch eine Katze, noch ein Bär sei. Bei jeder neuen Frage, die ihm gestellt wurde, brach Scrooges Neffe von neuem in ein Gelächter aus und konnte gar nicht wieder heraus kommen, so daß er vom Sofa aufstehen und mit den Füßen stampfen mußte. Endlich rief die dicke Schwester mit einem ebenso unauslöschlichen Gelächter: »Ich habe es, ich weiß es, Fritz, ich weiß es.«

»Was ist es?« rief Fritz.

»Es ist Onkel Scrooge.«

Und der war es auch. Bewunderung war das allgemeine Gefühl, obgleich einige meinten, die Frage: ist es ein Bär? hätte müssen mit Ja beantwortet werden, denn eine verneinende Antwort sei schon hinreichend gewesen, ihre Gedanken von Scrooge abzubringen, selbst wenn sie auf dem Wege zu ihm gewesen wären.

»Nun, er hat uns Freude genug gemacht«, sagte Fritz, »und so wäre es undankbar, nicht seine Gesundheit zu trinken. Hier ist ein Glas Glühwein dazu bereit. Es lebe Onkel Scrooge!«

»Es lebe Onkel Scrooge!« riefen sie alle.

»Eine fröhliche Weihnacht und ein glückliches Neujahr dem Alten, wie er immer sein möge!« sagte Scrooges Neffe. »Er wollte den Wunsch nicht von mir annehmen, aber er soll ihn doch haben.«

Onkel Scrooge war unmerklich so fröhlich und leichtherzig geworden, daß er der von seiner Gegenwart nichts wissenden Gesellschaft ihren Toast erwidert und ihr mit einer unhörbaren Rede gedankt haben würde, wenn der Geist ihm Zeit gelassen hätte. Aber alles verschwand in dem Hauche von dem letzten Worte des Neffen und er und der Geist waren wieder unterwegs. Sie gingen weit und sahen viel und besuchten manchen Herd, aber immer spendeten sie Glück. Der Geist stand neben Kranken, und sie wurden heiter und hoffend; neben Wandernden in fernen Ländern und sie träumten von der Heimat; neben solchen, die mit dem Leben rangen, und sie harrten geduldig aus; neben Armen, und sie waren reich. Im Armenhause und im Lazarette, im Kerker und in jedem Zufluchtsorte des Jammers, wo der Mensch in seiner kurzen ärmlichen Herrschaft dem Geiste die Thür verschlossen hatte, spendete er seinen Segen und lehrte Scrooge seine Weise.

Es war eine lange Nacht, wenn es nur eine Nacht war; aber Scrooge zweifelte daran, denn die Weihnachtsfeiertage schienen in die Zeit, die sie miteinander zubrachten, zusammengedrängt zu sein. Es war auch sonderbar, daß während Scrooge äußerlich ganz unverändert blieb, der Geist offenbar älter wurde. Scrooge hatte diese Veränderung bemerkt, aber sprach nie davon, bis sie von einer Kinderweihnachtsgesellschaft weggingen, wo er bemerkte, daß des Geistes Haar grau geworden war.

»Ist das Leben der Geister so kurz?« fragte Scrooge.

»Mein Leben auf dieser Erde ist sehr kurz«, sagte der Geist, »es endet noch diese Nacht.«

»Diese Nacht noch!« rief Scrooge.

»Heute um Mitternacht. Horch, die Zeit nahet.«

Die Glocke schlug drei Viertel auf Zwölf.

»Vergieb mir, wenn ich nicht recht thue, zu fragen«, sagte jetzt Scrooge, scharf auf des Geistes Gewand blickend, »aber ich sehe etwas Seltsames, was nicht zu dir gehört, unter deinem Mantel hervorblicken. Ist es ein Fuß oder eine Klaue?«

»Nach dem wenigen Fleisch, was darauf ist, könnte es wohl eine Klaue sein«, gab der Geist traurig zur Antwort.

»Sieh' hier.«

Aus den weiten Falten seines Gewandes hervor erschienen jetzt zwei Kinder: elend, abgemagert, häßlich und jammererregend. Sie knieten vor ihm nieder und hielten sich fest an den Saum seines Gewandes.

»O, Mensch, sieh' hier. Sieh' hier, sieh' hier!« rief der Geist.

Es war ein Knabe und ein Mädchen. Gelb, elend, zerlumpt und mit wildem, tückischem Blick; aber doch demütig. Wo die Schönheit der Jugend ihre Züge hätte füllen und mit ihren frischesten Farben kleiden sollen, hatte eine runzlige, abgelebte Hand, gleich der des Alters, sie berührt und versehrt. Wo Engel hätten thronen können, lauerten Teufel mit grimmigem, drohendem Blick. Keine Veränderung, keine Entwürdigung der Menschheit in allen Geheimnissen der Schöpfung hat so schreckliche und grauenerregende Ungeheuer aufzuweisen.

Scrooge fuhr entsetzt zurück. Da sie ihm der Geist auf diese Weise gezeigt hatte, versuchte er zu sagen, es wären schöne Kinder, aber die Worte erstickten sich selbst, um nicht teilzuhaben an einer so ungeheuren Lüge.

»Geist, sind das deine Kinder?« Scrooge konnte weiter nichts sagen.

»Es sind des Menschen Kinder«, sagte der Geist, auf sie herabschauend. »Und sie hängen sich an mich, vor mir ihre Väter anklagend. Dieses Mädchen ist die Unwissenheit. Dieser Knabe ist der Mangel. Nimm sie beide wohl in acht, aber vor allem diesen Knaben, denn auf seiner Stirn seh' ich geschrieben, was Verhängnis ist, wenn die Schrift nicht verlöscht wird. Leugnet es«, rief der Geist, seine Hand nach der Stadt ausstreckend. »Verleumdet die, welche es euch sagen! Gebt es zu um eurer Parteizwecke willen und macht es noch schlimmer! Und erwartet das Ende!«

»Haben sie keine Stütze, keinen Zufluchtsort?« rief Scrooge.

»Giebt es keine Gefängnisse?« sagte der Geist, das letzte Mal seine eigenen Worte gegen ihn gebrauchend. »Giebt es keine Armenhäuser?«

Die Glocke schlug Zwölf.

Scrooge sah sich nach dem Geiste um, aber er war verschwunden. Wie der letzte Schlag verklungen war, erinnerte er sich an die Vorhersagung des alten Jakob Marley und die Augen erhebend, sah er ein grauenerregendes, tief verhülltes Gespenst auf sich zukommen, wie ein Nebel auf den Boden hinrollt.

4. Der letzte der drei Geister

Die Erscheinung kam langsam, feierlich und schweigend auf ihn zu. Als sie näher gekommen war, fiel Scrooge auf die Kniee nieder, denn selbst die Luft, durch die sich der Geist bewegte, schien geheimnisvolles Grauen zu verbreiten.

Die Erscheinung war in einen schwarzen, weiten Mantel verhüllt, der nichts von ihr sichtbar ließ, als eine ausgestreckte Hand. Wenn diese nicht gewesen wäre, würde es schwer gewesen sein, die Gestalt von der Nacht zu trennen, welche sie umgab.

Als sie neben ihm stand, fühlte er, daß sie groß und stattlich war und daß ihre geheimnisvolle Gegenwart ihn mit einem feierlichen Grauen erfüllte. Er wußte weiter nichts, denn der Geist sprach und bewegte sich nicht.

»Ich stehe vor dem Geiste der zukünftigen Weihnachten?« fragte Scrooge.

Der Geist antwortete nicht, sondern wies mit der Hand auf die Erde.

»Du willst mir die Schatten der Dinge zeigen, welche nicht geschehen sind, aber geschehen werden«, fuhr Scrooge fort. »Willst du das, Geist?«

Der obere Teil der Verhüllung legte sich auf einen Augenblick in Falten, als ob der Geist sein Haupt neigte; dies war die einzige Antwort, welche Scrooge erhielt.

Obgleich so ziemlich an gespenstische Gesellschaft gewöhnt, fürchtete sich Scrooge vor der stummen Erscheinung doch so sehr, daß seine Kniee wankten und er kaum noch stehen konnte, als er sich bereit machte, ihr zu folgen. Der Geist stand für einen Augenblick still, als bemerkte er seine Furcht und wollte ihm Zeit geben, sich zu erholen.

Aber Scrooge befand sich dadurch noch schlechter. Ein vages, unbestimmtes Grausen durchbebte ihn bei dem Gedanken, hinter diesem schwarzen Schleier hefteten sich gespenstische Augen fest auf ihn, während er, obgleich er seine Augen aufs äußerste anstrengte, doch nichts sehen konnte als eine gespenstische Hand und eine große, schwarze Faltenmasse.

»Geist der Zukunft«, rief er, »ich fürchte dich mehr als die Geister, die ich schon gesehen habe. Aber da ich weiß, daß es dein Zweck ist, mir Gutes zu thun, und da ich hoffe zu leben, um ein anderer Mensch zu werden, als ich früher war, bin ich bereit, dich zu begleiten und thue es mit einem dankerfüllten Herzen. Willst du nicht zu mir sprechen?«

Die Gestalt gab ihm keine Antwort. Die Hand wies gerade in die Ferne vor ihn.

»Führe mich«, sagte Scrooge. »Führe mich, die Nacht schwindet schnell und die Zeit ist kostbar für mich. Führe mich, Geist.«

Die Erscheinung bewegte sich von ihm weg, wie sie auf ihn zugekommen war. Scrooge folgte dem Schatten ihres Gewandes, welcher, schien es ihm, ihn erhob und von dannen trug.

Kaum war es, als ob sie in die City träten; denn die City schien mehr rings um sie in die Höhe zu wachsen und sie zu umstellen. Aber sie waren doch im Herzen derselben, auf der Börse unter den Kaufleuten, welche hin und her eilten, mit dem Gelde in ihren Taschen klimperten, in Gruppen miteinander sprachen, nach der Uhr blickten und gedankenvoll mit den großen, goldenen Siegeln daran spielten, wie Scrooge es oft gesehen hatte.

Der Geist blieb bei einer Gruppe Kaufleute stehen. Scrooge sah, daß die Hand der Erscheinung darauf hinwies, und so näherte er sich ihnen, um ihr Gespräch zu belauschen.

»Nein«, sagte ein großer, dicker Mann mit einem ungeheuern Unterkinn, »ich weiß nicht viel davon zu sagen. Ich weiß nur, daß er tot ist.«

»Wann starb er?« frug ein anderer.

»Vorige Nacht, glaub' ich.«

»Nun, wie geht das zu?« fragte ein Dritter, eine große Prise aus einer sehr großen Dose nehmend. »Ich glaubte, er würde nie sterben.«

»Weiß Gott, wie es zugeht«, sagte der Erste gähnend.

»Was hat er mit seinem Gelde angefangen?« fragte ein Herr mit einem roten Gesicht und einem Auswuchs an der Nasenspitze, welcher wackelte, wie der Lappen eines Truthahns.

»Ich habe nichts davon gehört«, sagte der Mann mit dem großen Unterkinn, abermals gähnend. »Hat es wahrscheinlich seiner Gilde hinterlassen. Mir hat er's nicht vermacht. Das weiß ich.«

Dieser anmutige Scherz wurde mit einem allgemeinen Gelächter aufgenommen.

»Es wird wohl ein sehr billiges Begräbnis werden«, fuhr derselbe Sprecher fort; »denn so wahr ich lebe, ich kenne niemand, der mitgehen sollte. Wenn wir nun zusammenträten und freiwillig mitgingen?«

»Ich thue mit, wenn für ein Lunch gesorgt wird«, bemerkte der Herr mit dem Auswuchse an der Nasenspitze. »Aber ich muß traktiert werden, wenn ich dabei sein soll.«

Ein neues Gelächter.

»Nun da bin ich doch wohl der Uneigennützigste von euch«, sagte der erste Sprecher, »denn ich trage nie schwarze Handschuhe und esse nie Lunch. Aber ich gehe mit, wenn sich noch andere finden. Wenn ich mir's recht überlege, war ich am Ende sein vertrautester Freund; denn wir blieben stehen und sprachen miteinander, wenn wir uns auf der Straße trafen. Guten Morgen, guten Morgen!«

Sprecher und Zuhörer gingen fort und mischten sich unter andere Gruppen. Scrooge kannte die Leute und sah den Geist mit einem fragenden Blicke an.

Die Erscheinung schwebte weiter auf die Straße.

Ihre Hand wies auf zwei sich begegnende Personen.

Scrooge hörte wieder zu, in der Hoffnung, hier die Erklärung zu finden.

Auch diese Leute kannte er recht gut. Es waren Kaufleute, sehr reich und von großem Ansehen. Er hatte sich immer bestrebt, sich in ihrer Achtung zu erhalten, das heißt in Geschäftssachen, bloß in Geschäftssachen.

»Wie geht's?« sagte der eine.

»Wie geht's Ihnen?« sagte der andere.

»Gut«, sagte der Erste. »Der alte Geizhals ist endlich tot, wissen Sie es?«

»Ich hörte es«, erwiderte der Zweite. »'s ist kalt, nicht?«

»Wie sich's zu Weihnachten paßt. Sie sind wohl kein Schlittschuhläufer?«

»Nein, nein. Habe an andere Sachen zu denken. Guten Morgen!«

Kein Wort weiter. So trafen sie sich, so schieden sie.

Scrooge war erst zu staunen geneigt, daß der Geist auf anscheinend so unbedeutende Gespräche ein Gewicht zu legen schien; aber sein Gefühl sagte ihm, daß sie eine verborgene Bedeutung haben müßten und er dachte nach, was wohl diese sein möge. Sie konnten sich nicht auf den Tod Jakobs, seines alten Compagnons, beziehen, denn der gehörte der Vergangenheit an, und sein Führer war der Geist der Zukunft. Auch konnte er sich niemand von den ihn näher Angehenden denken, auf den er sie hätte beziehen können. Aber in der Gewißheit, daß, auf wen sie sich auch beziehen möchten, doch für ihn eine wichtige Lehre darin liege, beschloß er, jedes Wort, das er hörte und jede Scene, die er sah, treu in seinem Herzen aufzubewahren, und vorzüglich seinen Schatten zu beobachten, wenn er erschien. Denn er erwartete von dem Benehmen seines zukünftigen Selbst die vermißte Aufklärung und die Lösung der Rätsel, die ihm jetzt so schwierig schien.

Schon auf der Börse schaute er sich nach seinem Selbst um; aber ein anderer stand in seiner gewohnten Ecke und obgleich die Uhr auf die Stunde wies, wo er gewöhnlich dort war, sah er sich doch auch nicht unter den Scharen, welche durch den Eingang sich herein drängten. Das überraschte ihn jedoch wenig, denn er hatte schon lange daran gedacht, sein Geschäft aufzugeben und glaubte und hoffte, in diesen Erscheinungen die künftige Verwirklichung seines Planes zu sehen.

Reglos und schwarz stand neben ihm das Gespenst mit seiner ausgestreckten Hand. Als er wieder von seiner nachdenklichen Stellung aufblickte, glaubte er nach der Richtung der Hand, daß die unsichtbaren Augen sich starr auf ihn hefteten. Bei dem Gedanken überlief ihn ein kalter Schauer.

Sie verließen die geschäftige Umgebung und gingen in einen abgelegenen Teil der Stadt, wo Scrooge nie vorher gewesen war, dessen Lage und schlechten Ruf er aber kannte. Die Straßen waren schmutzig und eng und krumm; die Läden und Häuser ärmlich; die Menschen halbnackt, betrunken, barfuß, häßlich. Gäßchen und Thorwege, wie ebensoviele Kloaken, strömten abscheuerregende Gerüche und Schmutz und Menschen in die Straßen; und das ganze Viertel schien erfüllt von Verbrechen, von Schmutz und von Elend.

In einem der tiefsten Winkel dieses Zufluchtsortes der Sünde und der Schmach war ein niedriger, dunkler Laden unter einem Wetterdache, wo Eisen, Lampen, Flaschen, Knochen und schmierige Abfälle aller Art verkauft wurden. Auf dem Fußboden drinnen lag ein Haufen verrosteter Schlüssel, Nägel, Ketten, Thürangeln, Feilen, Wagen, Gewichte und altes Eisen aller Art. Geheimnisse, nach deren Enträtselung wenige verlangen würden, wurden erzeugt und verborgen in Bergen widriger Lumpen, Massen verdorbenen Fettes und ganzen Beinhäusern von Knochen. Mitten unter den Waren, mit denen er handelte, saß neben einem aus alten Ziegeln zusammengesetzten Ofen ein grauhaariger, fast siebzigjähriger Schelm, der sich vor der Kälte draußen durch einen bauschigen

Vorhang von allerlei Lumpen, auf eine Leine gehängt, geschützt hatte und seine Pfeife im Vollgenusse des Behagens rauchte.

Scrooge und die Erscheinung traten neben diesen Mann, gerade wie eine Frau mit einem schweren Bündel in den Laden schlich. Aber sie war kaum eingetreten, als eine zweite Frau, auch mit einem Bündel, ihr nachkam; und auf diese folgte dicht ein Mann in altem, abgetragenem schwarzen Anzuge, der nicht weniger von ihrem Anblick erschrocken war, als sie vor einander erschrocken waren. Nach einigen Augenblicken sprachlosen Staunens, an dem der Alte mit der Pfeife teilgenommen hatte, brachen sie alle drei in ein lautes Gelächter aus.

»Sage jemand, die Leichenwäscherin würde die Erste sein«, sagte die zuerst Eingetretene. »Sage jemand, die Wärterin würde die Zweite sein; und nenne jemand des Leichenbesorgers Gehilfen den Dritten. Schau', alter Joe, wie sich das fügt! ob wir uns nicht alle drei hier getroffen haben, ohne daß wir's wollten.«

»Ihr hättet euch an keinem besseren Orte treffen können«, sagte der alte Joe, die Pfeife aus dem Munde nehmend. »Kommt in das Staatszimmer. Ihr habt schon seit lange das Bürgerrecht dort, das wißt ihr; und die anderen zwei sind auch keine Fremden. Wartet, bis ich die Ladenthür zugemacht habe. O, wie sie knarrt! ich glaube, es giebt kein so rostiges Stück Eisen in dem ganzen Laden, als die Thürangeln; und ich weiß, es giebt keine so alten Knochen hier, wie meine. Haha, wir passen alle zu unserm Geschäft. Kommt ins Staatszimmer.«

Das Staatszimmer war der Raum hinter dem Lumpenvorhange. Der Alte scharrte das Feuer mit einem alten Rouleaustabe zusammen, schob den Docht seiner rauchigen Lampe, denn es war Abend, mit dem Stiele seiner Pfeife in die Höhe und steckte diese wieder in den Mund.

Während er so beschäftigt war, warf die zuerst eingetretene Frau ihr Bündel auf den Boden und setzte sich mit kokettierender Frechheit auf einen Stuhl, dann legte sie die Hände auf die Kniee und sah die beiden andern mit kühnem Trotz an.

»Nun, was ist da für ein Unterschied, Mrs. Dilber? Jeder hat das Recht, für sich zu sorgen. Er that es immer.«

»Das ist wahr«, sagte die Wärterin. »Keiner that es mehr.«

»Nun, warum guckt ihr euch da einander an, als fürchtetet ihr euch? Wer ist der Klügere? Wir wollen doch nicht einander die Augen aushacken, denk' ich!«

»Nein, gewiß nicht«, sagten Mrs. Dilber und der Mann zusammen. »Wir wollen es nicht hoffen.«

»Nun gut denn«, rief die Frau, »das ist genug. Wem schadet's, wenn wir so ein paar Sachen mitnehmen, wie die hier? Einer Leiche gewiß nicht!«

»Nein, gewiß nicht«, sagte Mrs. Dilber lachend.

»Wenn er sie, wie ein alter Geizhals, noch nach dem Tode behalten wollte«, fuhr die Frau fort, »warum war er während seines Lebens nicht besser? Wenn er's gewesen wäre, würde jemand um ihn gewesen sein, als er starb, statt daß er allein seinen letzten Atem fahren lassen mußte.«

»Es ist das wahrste Wort, was je gesprochen worden«, sagte Mrs. Dilber.

»Es ist ein Gottesgericht.«

»Ich wollte, es wäre ein bißchen schwerer ausgefallen«, sagte die Frau; »und es wär's auch, verlaßt euch drauf, wenn ich mehr hätte kriegen können. Mache das Bündel auf, Joe, und sag' mir, was es wert ist. Sprich gerade heraus. Ich fürchte mich nicht, die Erste zu sein, noch es ihnen sehen zu lassen. Wir wußten gut genug, daß wir für uns sorgten, ehe wir uns hier trafen. 's ist keine Sünde. Mach' das Bündel auf, Joe.«

Aber die Galanterie ihrer Freunde wollte das nicht erlauben; und der Mann in dem abgetragenen schwarzen Rock brachte seine Beute zuerst. Es war nicht viel daran. Ein oder zwei Siegel, ein silberner Bleistift, ein paar Hemdknöpfe und eine Brosche von geringem Werte, war alles. Sie wurden von dem alten Joe untersucht und abgeschätzt, worauf er die Summe, welche er für jedes bezahlen wollte, an die Wand schrieb und zusammenrechnete, wie er fand, daß nichts mehr kam.

»Das ist Eure Rechnung«, sagte Joe, »und ich gebe keinen Sixpence mehr und wenn ich in Stücke gehauen werden sollte. Wer kommt jetzt?«

Mrs. Dilber war die Nächste. Sie hatte Bett- und Handtücher, einige Kleidungsstücke, zwei altmodische silberne Theelöffel, eine Zuckerzange und einige Paar Stiefel. Ihre Rechnung wurde auf dieselbe Weise an die Wand geschrieben.

»Damen gebe ich immer zu viel. 's ist meine Schwäche und ich richte mich damit zu Grunde«, sagte der alte Joe. »Das ist Eure Rechnung. Wenn Ihr einen Pfennig mehr haben wolltet und ließet es darauf ankommen, so thäte es mir leid, so freigebig gewesen zu sein und ich zöge eine halbe Krone ab.«

»Und nun mach' mein Bündel auf, Joe«, sagte die Erste.

Joe kniete nieder, um bequemer das Bündel öffnen zu können, und nachdem er eine große Menge Knoten aufgemacht hatte, zog er eine große und schwere Rolle eines dunklen Zeugs heraus.

»Was ist das?« sagte Joe. »Bettgardinen.«

»Ach«, rief das Weib lachend und sich vorbeugend, »Bettgardinen!«

»Ihr wollt doch nicht sagen, Ihr hättet sie 'runter genommen, wie er dort lag?« sagte Joe.

»I, freilich«, sagte das Weib. »Warum nicht?«

»Ihr seid geboren, Euer Glück zu machen, und Ihr werdet's auch.«

»Ich werde doch wahrhaftig meine Hand nicht ruhig einstecken, wenn ich sie nur auszustrecken brauche, um was zu kriegen, um so eines Mannes willen, wie der war. Wahrhaftig nicht, Joe«, antwortete das Weib ruhig. »Laßt kein Öl auf die Bettdecken fallen.«

»Seine Bettdecke?« fragte Joe.

»Von wem soll sie denn sonst sein?« antwortete das Weib. »Er wird auch ohne dies nicht frieren, das behaupte ich.«

»Er starb doch nicht etwa an etwas Ansteckendem?« sagte der alte Joe, seine Beschäftigung unterbrechend und sie anblickend.

»Das braucht Ihr nicht zu befürchten«, antwortete die Frau. »Ich hatte ihn nicht so lieb, daß ich dann bei ihm geblieben wäre um solcher Sachen willen. Ha, Ihr könnt durch das Hemd gucken, bis Euch Eure Augen weh thun; Ihr findet kein Loch drin und keine dünne Stelle. Es ist das beste, was er hatte, und fein ist's auch. Sie hätten's verdorben, wenn ich nicht gewesen wäre.«

»Was nennt Ihr, es verderben?« fragte der alte Joe.

»Nun, ihm das Hemd in das Grab anziehen, was sonst?« erwiderte die Frau lachend.

»Es war jemand Narr genug, es ihm anzuziehen, aber ich zog's ihm wieder aus. Wenn Kattun zu so etwas nicht gut genug ist, weiß ich nicht, zu was er sonst gut wäre. Es steht einer Leiche ebenso gut. Er kann nicht häßlicher aussehen, als er in dem aussah.«

Scrooge hörte das Gespräch mit Grausen an. Wie sie da um ihren Raub herum in dem kärglichen Licht der Lampe des Alten saßen, betrachtete er sie mit einem Ekel und einem Abscheu, der nicht größer hätte sein können, wenn es scheußliche Dämonen gewesen wären, die um die Leiche selbst feilschten.

»Ha, ha!« lachte dieselbe Frau, als der alte Joe, einen alten flanellenen Geldbeutel herauslangend, jedem den Preis des Raubes auf den Fußboden hinzählte. »Das ist das Ende von der Geschichte, seht ihr! Er scheuchte jeden von sich, so lange er lebte, um uns zu nützen, da er tot ist! Ha, ha, ha!«

»Geist«, sagte Scrooge, vom Fuß bis zum Scheitel zitternd. »Ich verstehe dich. Das Los dieses Unglücklichen könnte das meinige sein. Mein Leben geht jetzt auf dieses Ziel zu. Gnädiger Himmel, was ist das?«

Er fuhr entsetzt zurück, denn die Scene hatte sich geändert und er stand dicht vor einem Bett, einem einsamen, unverhangnen Bett, wo unter einer groben Decke etwas Verhülltes lag, was, obgleich es stumm war, sich doch in grausenerregender Sprache nannte.

Das Zimmer war sehr finster, zu finster, um etwas genau erkennen zu können, obgleich Scrooge, einem geheimen Gefühle gehorchend, sich umschaute, voll Begier, zu wissen, was für ein Zimmer es sei. Ein bleiches Licht, welches von draußen kam, fiel gerade auf das Bett; und auf diesem, geplündert und beraubt, unbewacht und unbeweint, lag die Leiche dieses Mannes.

Scrooge blickte die Erscheinung an. Ihre reglose Hand wies auf das Haupt des Leichnams. Die Decke war so sorglos zurecht gelegt, daß das geringste Verschieben, die leiseste Berührung von Scrooges Finger das Antlitz enthüllt hätte. Er dachte daran, fühlte, wie leicht es geschehen könnte, und sehnte sich, es zu thun; aber er hatte nicht mehr Macht, die Hülle wegzuziehen, als den Geist an seiner Seite zu entlassen.

O, kalter, starrer, schrecklicher Tod, hier richte deinen Altar auf und umgieb ihn mit den Schrecken, die dir zu Gebote stehen: denn dies ist dein Reich! Aber dem geliebten und verehrten Haupt kannst du kein Haar krümmen, von ihm kannst du keinen Zug widerlich machen. Nicht weil die Hand schwer ist und herabsinkt, wenn man sie fallen läßt, nicht, weil das Herz und der Puls schweigen; sondern weil die Hand offen war und barmherzig, weil das Herz offen war und warm und gut und der Puls ein menschlicher. Töte, Schatten, töte! Und sieh, wie seine guten Thaten aus der Todeswunde hervorströmen, um in der Welt unsterbliches Leben zu sehen.

Keine Stimme flüsterte diese Worte in Scrooges Ohren, aber doch hörte er sie, wie er auf das Bett blickte. Er dachte, wenn dieser Mann jetzt wieder erweckt werden könnte, was würde wohl sein erster Gedanke sein? Geiz, Hartherzigkeit, habgierige Sorge. Ein schönes Ziel haben sie ihm bereitet!

Er lag in dem dunklen leeren Hause und kein Mann, oder Weib, oder Kind war da, um zu sagen, er war gütig gegen mich in dem und in jenem, und dieses einen gütigen Wortes gedenkend, will ich seiner warten. Eine Katze kratzte an der Thür und die Ratten nagten und raschelten unter dem Kamin. Was sie in dem Gemach des Todes wollten und warum sie so unruhig waren, wagte Scrooge nicht auszudenken.

»Geist«, sagte er, »dies ist ein schrecklicher Ort. Wenn ich ihn verlasse, werde ich nicht seine Lehre vergessen, glaube mir. Laß uns gehen.«

Immer noch wies der Geist mit reglosem Finger auf das Haupt der Leiche.

»Ich verstehe dich«, antwortete Scrooge, »und ich thäte es, wenn ich könnte. Aber ich habe die Kraft nicht dazu, Geist. Ich habe die Kraft nicht dazu.«

Wieder schien der Geist ihn anzublicken.

»Wenn irgend jemand in der Stadt ist, der bei dieses Mannes Tod etwas fühlt«, sagte Scrooge erschüttert, »so zeige mir ihn, Geist, ich flehe dich darum an.«

Die Erscheinung breitete ihren dunklen Mantel einen Augenblick vor ihm aus wie einen Fittich; und wie sie ihn wieder wegzog, sah er ein taghelles Zimmer, in dem sich eine Mutter mit ihren Kindern befand.

Sie hoffte auf jemandes Kommen in angstvoller Erwartung; denn sie ging im Zimmer auf und ab: erschrak bei jedem Geräusch; sah zum Fenster hinaus; blickte nach der Uhr; versuchte vergebens zu arbeiten; und konnte kaum die Stimmen der spielenden Kinder ertragen.

Endlich hörte sie das langersehnte Klopfen an der Hausthür und traf, als sie hinaussehen wollte, ihren Gatten. Sein Gesicht war bekümmert und niedergeschlagen, obgleich er noch jung war. Es zeigte sich jetzt ein merkwürdiger Ausdruck in demselben, eine Art ernster Freude, deren er sich schämte und die er sich zu unterdrücken bemühte.

Er setzte sich zum Essen nieder, das man ihm am Feuer aufgehoben hatte; und als sie ihn erst nach langem Schweigen frug, was er für Nachrichten bringe, schien er um die Antwort verlegen zu sein.

»Sind sie gut«, sagte sie, »oder schlecht?«

»Schlecht«, antwortete er.

»Wir sind ganz zu Grunde gerichtet?«

»Nein, noch ist Hoffnung vorhanden, Karoline.«

»Wenn er sich erweichen läßt«, rief sie erstaunt, »dann ist noch welche da! Überall ist noch Hoffnung, wenn ein solches Wunder geschehen ist.«

»Für ihn ist es zu spät, sich zu erbarmen«, sagte der Gatte. »Er ist tot!«

Wenn ihr Gesicht Wahrheit sprach, so war sie ein mildes und geduldiges Wesen; aber sie war dankbar dafür in ihrem Herzen und sagte es mit gefalteten Händen. Sie bat im nächsten Augenblick Gott, daß er ihr verzeihen möge und bereute es; aber das erste war die Stimme ihres Herzens gewesen.

»Was mir die halbbetrunkene Frau gestern Abend sagte, als ich ihn sprechen und um eine Woche Aufschub bitten wollte; und was ich nur für eine bloße Entschuldigung hielt, um mich abzuweisen, zeigt sich jetzt als die reine Wahrheit. Er war nicht nur sehr krank, er lag schon im Sterben.«

»Auf wen wird unsere Schuld übergehen?«

»Ich weiß es nicht. Aber vor dieser Zeit noch werden wir das Geld haben; und selbst, wenn dies nicht wäre, wäre es ein großes Mißgeschick in seinem Erben einen so unbarmherzigen Gläubiger zu finden. Wir können heute Nacht mit leichterem Herzen schlafen, Karoline.«

Ja, sie mochten es verhehlen, wie sie wollten, ihre Herzen waren leichter. Die Gesichter der Kinder, welche sich still um sie drängten, um zu hören, was sie so wenig verstanden, erhellten sich und alle wurden glücklicher durch dieses Mannes Tod. Das einzige von diesem Ereignis erregte Gefühl, welches ihm der Geist zeigen konnte, war eins der Freude.

»Laß mich ein zärtliches, mit dem Tode verbundenes Gefühl sehen«, sagte Scrooge, »oder dies dunkle Zimmer, welches wir eben verlassen haben, wird mir immer vor Augen bleiben.«

Der Geist führte ihn durch mehrere Straßen, durch die er oft gegangen war; und wie sie vorüber schwebten, hoffte Scrooge sich hier und da zu erblicken, aber nirgends war er zu sehen. Sie traten in Bob Cratchits Haus, dieselbe Wohnung, die sie schon früher besucht hatten, und fanden die Mutter und die Kinder um das Feuer sitzen.

Alles war ruhig, alles war still, sehr still. Die lärmenden kleinen Cratchits saßen stumm, wie steinerne Bilder, in einer Ecke und sahen auf Peter, der ein Buch vor sich hatte. Die Mutter und die Töchter nähten. Aber gewiß waren sie auch still, sehr still.

»Und er nahm ein Kind und stellte es in ihre Mitte.«

Wo hatte Scrooge diese Worte gehört? Der Knabe mußte sie gelesen haben, als er und der Geist über die Schwelle traten. Warum fuhr er nicht fort?

Die Mutter legte ihre Arbeit auf den Tisch und fuhr mit der Hand nach dem Auge.

»Die Farbe blendet mich«, sagte sie.

Die Farbe? ach, der arme Tiny Tim!

»Sie sind jetzt wieder besser«, sagte Cratchits Frau. »Die Farbe blendet sie bei Licht und ich möchte den Vater, wenn er heimkommt, nicht sehen lassen, daß ich schwache Augen habe. Es muß bald seine Zeit sein.«

»Fast schon vorüber«, erwiderte Peter, das Buch schließend. »Aber ich glaube, er geht jetzt ein wenig langsamer als gewöhnlich, Mutter.«

Sie waren wieder sehr still. Endlich sagte sie mit einer ruhigen, heitern Stimme, die nur ein einziges Mal zitterte: »Ich weiß, daß er mit – ich weiß, daß er mit Tiny Tim auf der Schulter sehr schnell ging.«

»Und ich auch«, rief Peter. »Oft.«

»Und ich auch«, riefen die andern.

»Aber er war sehr leicht zu tragen«, fing sie wieder an, fest auf ihre Arbeit sehend, »und der Vater liebte ihn so, daß es keine Beschwerde. Und da kommt der Vater.«

Sie eilte ihm entgegen und Bob mit dem Shawl – er hatte ihn nötig, der arme Kerl – trat herein. Sein Thee stand bereit und sie drängten sich alle herbei, wer ihm am meisten helfen könne. Dann kletterten die beiden kleinen Cratchits auf seine Kniee und jedes Kind legte eine kleine Wange an die seine, als wollten sie sagen: kümmere dich nicht so sehr, Vater.

Bob war sehr heiter und sprach sehr munter mit der ganzen Familie. Er besah die Arbeit auf dem Tische und lobte den Fleiß und den Eifer seiner Frau und Töchter. »Sie würden lange vor Sonntag fertig sein«, sagte er.

»Sonntag! Du warst also heute dort, Robert!« sagte seine Frau.

»Ja, meine Liebe«, antwortete Bob. »Ich wollte, du hättest hingehen können. Es würde dein Herz erfreut haben, zu sehen, wie grün die Stelle ist. Aber du wirst sie oft sehen. Ich versprach ihm, Sonntags hinzugehen. Mein liebes, liebes Kind!« weinte Bob. »Mein liebes Kind!«

Er brach auf einmal zusammen. Er konnte nicht dafür. Wenn er dafür gekonnt hätte, so wäre er und sein Kind wohl weiter voneinander getrennt gewesen.

Er verließ das Zimmer und ging die Treppe hinauf in ein Zimmer, welches hell erleuchtet und weihnachtsmäßig aufgeputzt war. Ein Stuhl stand dicht neben dem Kinde und man sah, daß vor kurzem jemand dagewesen war. Der arme Bob setzte sich nieder, und als er ein wenig nachgedacht und sich gefaßt hatte, küßte er das kleine, kalte Gesicht. Er war versöhnt mit dem Geschehenen und ging wieder hinunter ganz glücklich.

Sie setzten sich um das Feuer und unterhielten sich; die Mädchen und die Mutter arbeiteten fort. Bob erzählte ihnen von der außerordentlichen Freundlichkeit von Scrooges Neffen, den er kaum ein einziges Mal gesehen habe. Er habe ihn heute auf der Straße getroffen und wie er gesehen, daß er ein wenig niedergeschlagen aussähe, habe er ihn befragt, was ihn bekümmere. »Worauf«, sagte Bob, »denn er ist der leutseligste junge Herr, den ich nur kenne, ich es ihm sagte. Ich bedaure Sie herzlich, Mr. Cratchit, sagte er, und auch Ihre gute Frau. Übrigens, wie er das wissen kann, möchte ich wissen.«

»Was soll er wissen, mein Lieber?«

»Nun, daß du eine gute Frau bist«, antwortete Bob.

»Jedermann weiß das«, sagte Peter.

»Sehr gut bemerkt, mein Junge«, rief Bob. »Ich hoffe, 's ist so. Herzlich bedaure ich, sagte er, Ihre gute Frau. Wenn ich Ihnen auf irgend eine Weise behilflich sein kann, sagte er, indem er mir seine Karte gab, das ist meine Wohnung. Kommen Sie nur zu mir. Nun«, rief Bob, »ist es nicht gerade um deswillen, daß er etwas für uns thun könnte, sondern mehr wegen seiner herzlichen Weise, daß ich mich darüber so freute. Es schien wirklich, als hätte er unsern Tiny Tim gekannt und fühlte mit uns.«

»Er ist gewiß eine gute Seele«, sagte Mrs. Cratchit.

»Du würdest das noch sicherer glauben, Liebe«, antwortete Bob, »wenn du ihn sähest und mit ihm sprächest. Es sollte mich gar nicht wundern, wenn er Petern eine bessere Stelle verschaffte. Merkt euch meine Worte.«

»Nun höre nur, Peter«, sagte Mrs. Cratchit.

»Und dann«, rief eins der Mädchen, »wird sich Peter nach einer Frau umsehen.«

»Ach, sei still«, antwortete Peter lachend.

»Nun, das kann schon kommen«, sagte Bob, »aber dazu hat er noch Zeit im Überfluß. Aber wie und wenn wir uns auch voneinander trennen sollten, so bin ich doch überzeugt, daß keiner von uns den armen Tiny Tim, oder diese erste Trennung, welche wir erfuhren, vergessen wird.«

»Niemals, Vater«, riefen alle.

»Und ich weiß«, sagte Bob, »ich weiß, meine Lieben, wenn wir daran denken werden, wie geduldig und wie sanft er war, obgleich er nur ein kleines, kleines Kind war, werden wir nicht so leicht uns zanken und den guten Tiny Tim vergessen, wenn wir's thun.«

»Nein, niemals, Vater«, riefen sie alle.

»Ich bin sehr glücklich«, sagte Bob, »sehr glücklich.«

Mrs. Cratchit küßte ihn, seine Töchter küßten ihn, die beiden kleinen Cratchits küßten ihn und Peter und er drückten sich die Hand. Seele Tiny Tims, du warst ein Hauch von Gott.

»Geist«, sagte Scrooge, »ein Etwas sagt mir, daß wir bald scheiden werden. Ich weiß es, aber ich weiß nicht wie. Sage mir, wer es war, den wir auf dem Totenbett sahen.«

Der Geist der zukünftigen Weihnachten führte ihn wie früher – obgleich zu verschiedener Zeit, dünkte ihm, überhaupt schien in den verschiedenen letzten Gesichten keine Zeitfolge stattzufinden – an die Zusammenkunftsorte der Geschäftsleute, aber er sah sich nicht. Der Geist verweilte nirgends, sondern schwebte immer weiter, wie nach dem Ort zu, wo Scrooge die gewünschte Lösung des Rätsels finden würde, bis ihn dieser bat, einen Augenblick zu verweilen.

»Ja, dieser Hof«, sagte Scrooge, »durch den wir jetzt eilen, war einst mein Geschäft und war es lange Jahre. Ich sehe das Haus. Laß mich sehen, was ich in den kommenden Tagen sein werde.«

Der Geist stand still; die Hand wies wo anders hin.

»Das Haus ist dort«, rief Scrooge. »Warum weisest du wo anders hin?«

Der unerbittliche Finger nahm keine andere Richtung an.

Scrooge eilte nach dem Fenster seines Comptoirs und schaute hinein. Es war noch ein Comptoir, aber nicht das seinige. Die Möbel waren nicht dieselben und die Gestalt in dem Stuhl war nicht die seine. Die Erscheinung zeigte nach derselben Richtung, wie früher.

Er trat wieder zu ihr hin und nachsinnend, warum und wohin sie gingen, begleitete er sie, bis sie eine eiserne Gitterpforte erreichten. Er stand still, um sich vor dem Eintreten umzusehen.

Es war ein Kirchhof. Hier also lag der Unglückliche, dessen Namen er noch erfahren sollte, unter der Erde. Der Ort war seiner würdig. Rings von hohen Häusern umgeben; überwuchert von Unkraut, entsprossen dem Tod, nicht dem Leben der Vegetation; vollgepfropft von zu viel Leichen; gesättigt von übersättigtem Genuß.

Der Geist stand inmitten der Gräber still und wies auf eins derselben hinab. Scrooge näherte sich ihm zitternd. Die Erscheinung war noch ganz so wie früher, aber ihm war es immer, als sähe er eine neue Bedeutung in der düstern Gestalt.

»Ehe ich mich dem Stein nähere, den du mir zeigst«, sagte Scrooge, »beantworte mir eine Frage. Sind dies die Schatten der Dinge, welche sein werden, oder nur von denen, welche sein können?«

Immer noch wies der Geist auf das Grab hinab, vor dem sie standen.

»Die Wege des Menschen tragen ihr Ziel in sich«, sagte Scrooge. »Aber wenn er einen andern Weg einschlägt, ändert sich das Ziel. Sage, ist es so mit dem, was du mir zeigen wirst?«

Der Geist blieb so unbeweglich wie immer.

Scrooge näherte sich zitternd dem Grabe und wie er der Richtung des Fingers folgte, las er auf dem Stein seinen eigenen Namen.

»*Ebenezer Scrooge.*«

»Bin ich es, der auf jenem Bett lag?« rief er, auf die Kniee sinkend.

Der Finger wies von dem Grabe auf ihn und wieder zurück.

»Nein, Geist, o nein!«

Der Finger wies immer noch dorthin.

»Geist«, rief er, sich fest an sein Gewand klammernd, »ich bin nicht mehr der Mensch, der ich war. Ich will ein anderer Mensch werden, als ich vor diesen Tagen gewesen bin. Warum zeigst du mir dies, wenn alle Hoffnung vorüber ist?«

Zum erstenmal schien die Hand zu zittern.

»Guter Geist«, fuhr er fort, »dein eigenes Herz bittet für mich und bemitleidet mich. Sage mir, daß ich durch ein verändertes Leben die Schatten, welche du mir gezeigt hast, ändern kann!«

Die gütige Hand zitterte.

»Ich will Weihnachten in meinem Herzen ehren und versuchen es zu feiern. Ich will in der Vergangenheit, der Gegenwart und der Zukunft leben. Die Geister von allen dreien sollen in mir wirken. Ich will mein Herz nicht ihren Lehren verschließen. O, sage mir, daß ich die Schrift auf diesem Steine weglöschen kann.«

In seiner Angst ergriff er die gespenstische Hand. Sie versuchte, sich von ihm loszumachen, aber er war stark in seinem Flehen und hielt sie fest. Der Geist, noch stärker, stieß ihn zurück.

Wie er seine Hände zu einem letzten Flehen um Änderung seines Schicksals in die Höhe hielt, sah er die Erscheinung sich verändern. Sie wurde kleiner und kleiner und kleiner und schwand zu einer Bettpfoste zusammen.

5. Das Ende

Ja, und es war seine eigene Bettpfoste. Es war sein Bett und sein Zimmer. Und was das Glücklichste und Beste war, die Zukunft war sein zur Besserung.

»Ich will in der Vergangenheit, der Gegenwart und der Zukunft leben«, wiederholte Scrooge, als er aus dem Bett kletterte. »Die Geister von allen dreien sollen in mir wirken. O, Jakob Marley! der Himmel und die Weihnachtszeit seien dafür gepriesen! Ich sage es auf meinen Knieen, alter Jakob, auf meinen Knieen.«

Er war von seinen guten Vorsätzen so erregt und außer sich, daß seine bebende Stimme kaum auf seinen Ruf antworten wollte. Er hatte während seines Ringens mit dem Geiste bitterlich geweint und sein Gesicht war noch naß von den Thränen.

»Sie sind nicht herabgerissen«, rief Scrooge, eine der Bettgardinen an die Brust drückend, »sie sind nicht herabgerissen. Sie sind da, ich bin da, die Schatten der Dinge, welche kommen, können vertrieben werden. Ja, ich weiß es gewiß, ich weiß es.«

Während dieser ganzen Zeit beschäftigten sich seine Hände mit den Kleidungsstücken: er zog sie verkehrt an, zerriß sie, verlor sie und machte allerhand tolle Sprünge damit.

»Ich weiß nicht, was ich thue«, rief Scrooge in einem Atem weinend und lachend und mit seinen Strümpfen einen wahren Laokoon aus sich machend. »Ich bin leicht wie eine Feder, glücklich wie ein Engel, lustig wie ein Schulknabe, schwindlich wie ein Betrunkener. Fröhliche Weihnachten allen Menschen! Ein glückliches Neujahr der ganzen Welt! Hallo! hussa! hurra!«

Er war in das Wohnzimmer gesprungen und blieb jetzt dort ganz außer Atem stehen.

»Da ist die Schüssel, in der die Suppe war!« rief Scrooge, indem er um den Kamin herumsprang. »Da ist die Thür, durch welche Jakob Marleys Geist hereinkam, da ist die Ecke, wo der Geist der heurigen Weihnachten saß, da ist das Fenster, wo ich die herumirrenden Geister sah! Es ist alles recht, es ist alles wahr, es ist alles geschehen. Hahahaha!«

Wirklich für einen Mann, der so lange Jahre aus der Gewohnheit war, war es ein vortreffliches Lachen, ein herrliches Lachen. Der Vater einer langen, langen Reihe herrlicher Gelächter!

»Ich weiß nicht, den Wievieltesten wir heute haben«, rief Scrooge. »Ich weiß nicht, wie lange ich unter den Geistern gewesen bin. Ich weiß gar nichts. Ich bin wie ein neugebornes Kind. Es schadet nichts. Ist mir einerlei. Ich will lieber ein Kind sein. Hallo! hussa! hurra!«

Er wurde in seinen Freudenausrufungen von dem Geläute der Kirchenglocken unterbrochen, die ihm so munter zu klingen schienen, wie nie vorher. Bim baum, kling, klang, bim baum. Ach, herrlich, herrlich!

Er lief zum Fenster, öffnete es und steckte den Kopf hinaus. Kein Nebel; ein klarer, luftig heller, kalter Morgen, eine Kälte, die dem Blute einen Tanz vorpfiff; goldenes Sonnenlicht; ein himmlischer Himmel; liebliche, frische Luft, fröhliche Glocken. O, herrlich, herrlich!

»Was ist denn heute?« rief Scrooge einem Knaben in Sonntagskleidern zu, der unten stand.

»He?« fragte der Knabe mit der allermöglichsten Verwunderung.

»Was ist heute, mein Junge?« sagte Scrooge.

»Heute?« antwortete der Knabe. »Nun, Christtag.«

»'s ist Christtag«, sagte Scrooge zu sich selber. »Ich habe ihn nicht versäumt. Die Geister haben alles in einer Nacht gethan. Sie können alles, was sie wollen. Natürlich, natürlich. Heda, mein Junge!«

»Heda!« antwortete der Knabe.

»Weißt du des Geflügelhändlers Laden in der zweitnächsten Straße an der Ecke?« frug Scrooge.

»I, warum denn nicht«, antwortete der Junge.

»Ein gescheiter Junge«, sagte Scrooge. »Ein merkwürdiger Junge! Weißt du nicht, ob der Preistruthahn, der dort hing, verkauft ist? nicht der kleine Preistruthahn, der große.«

»Was, der so groß ist wie ich?« antwortete der Junge.

»Was für ein lieber Junge!« sagte Scrooge. »'s ist eine Freude, mit ihm zu sprechen. Ja, mein Prachtjunge.«

»Er hängt noch dort«, antwortete der Junge.

»Ist's wahr?« sagte Scrooge. »Nun, da geh' und kaufe ihn.«

»Hetsch!« rief der Junge aus.

»Nein, nein«, sagte Scrooge, »'s ist mein Ernst. Geh' hin und kaufe ihn und sage, sie sollen ihn hierher bringen, daß ich ihnen die Adresse geben kann, wohin sie ihn tragen sollen. Komm mit dem Träger wieder her und ich gebe dir einen Schilling. Komm in weniger als fünf Minuten zurück und du bekommst eine halbe Krone.«

Der Bursche verschwand wie ein Blitz.

»Ich will ihn Bob Cratchit schicken«, flüsterte Scrooge, sich die Hände reibend und fast vor Lachen platzend. »Er soll nicht wissen, wer ihn schickt. Er ist zweimal so groß als Tiny Tim. Joe Miller hat niemals einen Witz gemacht, wie den.«

Wie er die Adresse schrieb, zitterte seine Hand, aber er schrieb so gut es gehen wollte, und ging die Treppe hinab, um die Hausthür zu öffnen, den Truthahn erwartend. Wie er dastand fiel sein Auge auf den Thürklopfer.

»Ich werde ihn lieb haben, so lange ich lebe«, rief Scrooge ihn streichelnd. »Früher habe ich ihn kaum angesehen. Was für ein ehrliches Gesicht er hat! Es ist ein wunderbarer Thürklopfer! – Da ist der Truthahn. Hallo! hussa! Wie geht's? Fröhliche Weihnachten!«

Das war ein Truthahn; er hätte nicht mehr lebendig auf seinen Füßen stehen können. Sie wären – knicks – zerbrochen wie eine Stange Siegellack.

»Was, das ist ja fast unmöglich, den nach Camden-Town zu tragen«, sagte Scrooge. »Ihr müßt einen Wagen nehmen.«

Das Lachen, mit dem er dies sagte und das Lachen, mit dem er den Truthahn bezahlte, und das Lachen, mit dem er den Wagen bezahlte, und das Lachen, mit dem er dem Jungen ein Trinkgeld gab, wurden nur von dem Lachen übertroffen, mit dem er sich atemlos in seinen Stuhl niedersetzte und lachte, bis die Thränen an den Backen hinunter liefen.

Das Rasieren war keine Kleinigkeit, denn seine Hand zitterte immer noch sehr; und Rasieren verlangt große Aufmerksamkeit, selbst wenn man nicht gerade während dem tanzt. Aber wenn er sich die Nasenspitze weggeschnitten hätte, würde er ein Stückchen englisches Pflaster darauf geklebt haben und zufrieden gewesen sein.

Er zog seine besten Kleider an und trat endlich auf die Straße. Die Leute strömten jetzt gerade aus ihren Häusern, wie er es gesehen hatte, als er den Geist der heurigen Weihnacht begleitete; und mit auf dem Rücken zusammengeschlagenen Händen durch die Straßen gehend, blickte Scrooge jeden mit einem freundlichen Lächeln an. Er sah so unwiderstehlich freundlich aus, daß drei oder vier lustige Leute zu ihm sagten: »Guten Morgen, Sir, fröhliche Weihnachten!« und Scrooge sagte oft nachher, daß von allen lieblichen Klängen, die er je gehört, dieser seinem Ohr am lieblichsten geklungen hätte.

Er war nicht weit gegangen, als er denselben stattlichen Herrn auf sich zukommen sah, der am Tage vorher in sein Comptoir getreten war mit den Worten: »Scrooge und Marley, wenn ich nicht irre.« Es gab ihm einen Stich ins Herz, als er dachte, wie ihn wohl der alte Herr beim Vorübergehen ansehen würde; aber er wußte, welchen Weg er zu gehen hatte, und ging ihn.

»Lieber Herr«, sagte Scrooge, schneller gehend und des alten Herrn beide Hände ergreifend, »wie geht's Ihnen? Ich hoffe, Sie hatten gestern einen guten Tag. Es war sehr freundlich von Ihnen. Ich wünsche Ihnen fröhliche Weihnachten, Sir.«

»Mr. Scrooge?«

»Ja«, sagte Scrooge. »Das ist mein Name und ich fürchte, er klingt Ihnen nicht sehr angenehm. Erlauben Sie, daß ich Sie um Verzeihung bitte. Und wollen Sie die Güte haben« – hier flüsterte ihm Scrooge etwas in das Ohr.

»Himmel!« rief der Herr, als ob ihm der Atem ausgeblieben wäre. »Mein lieber Mr. Scrooge, ist das Ihr Ernst?«

»Wenn es Ihnen gefällig ist«, sagte Scrooge. »Keinen Penny weniger. Es sind viele Rückstände dabei, ich versichere es Ihnen. Wollen Sie die Güte haben?«

»Bester Herr«, sagte der andere, ihm die Hand schüttelnd, »ich weiß nicht, was ich zu einer solchen großartigen Freigebigkeit sagen soll.«

»Ich bitte, sagen Sie gar nichts dazu«, antwortete Scrooge. »Besuchen Sie mich. Wollen Sie mich besuchen?«

»Herzlich gern«, rief der alte Herr. Und man sah, es war ihm mit der Versicherung Ernst.

»Ich danke Ihnen«, sagte Scrooge. »Ich bin Ihnen sehr verbunden. Ich danke Ihnen tausendmal. Leben Sie recht wohl!«

Er ging in die Kirche, ging durch die Straßen, sah die Leute hin und her laufen, klopfte Kindern die Wange, frug Bettler, und sah hinab in die Küchen und hinauf zu den Fenstern der Häuser; und fand, daß alles das ihm Vergnügen machen könne. Er hatte sich nie geträumt, daß ein Spaziergang oder sonst etwas ihn so glücklich hätte machen können. Nachmittags lenkte er seine Schritte nach seines Neffen Wohnung.

Er ging wohl ein dutzendmal an der Thür vorüber, ehe er den Mut hatte, anzuklopfen. Endlich faßte er sich ein Herz und klopfte.

»Ist dein Herr zu Hause, meine Liebe?« sagte Scrooge zu dem Mädchen. »Ein hübsches Mädchen, wahrhaftig!«

»Ja, Sir.«

»Wo ist er, meine Liebe?« sagte Scrooge.

»Er ist in dem Speisezimmer, Sir, mit der Madame. Ich will Sie hinaufführen, wenn Sie erlauben.«

»Danke, danke. Er kennt mich«, sagte Scrooge, mit der Hand schon auf dem Thürdrücker. »Ich will hier hereintreten, meine Liebe.«

Er machte die Thür leise auf und steckte den Kopf hinein. Sie betrachteten den Speisetisch (der mit großem Aufwand von Pracht gedeckt war); denn solche junge Leute sind immer sehr unruhig über solche Punkte und sähen gern alles in Ordnung.

»Fritz!« sagte Scrooge.

Heiliger Himmel! wie seine Nichte erschrak! Scrooge hatte in dem Augenblicke vergessen, daß sie mit dem Fußbänkchen in der Ecke gesessen hatte, sonst hätte er es um keinen Preis gethan.

»Potztausend!« rief Fritz, »wer ist das!«

»Ich bin's, dein Onkel Scrooge. Ich komme zum Essen. Willst du mich hereinlassen, Fritz?«

Ihn hereinlassen! Es war nur gut, daß er ihm nicht den Arm abriß. Er war in fünf Minuten wie zu Hause. Nichts konnte herzlicher sein, als die Begrüßung seines Neffen. Und auch seine Nichte empfing ihn ganz so herzlich. Auch Topper, wie er kam. Auch die dicke Schwester, wie sie kam. Und alle, wie sie nach der Reihe kamen. Wundervolle Gesellschaft, wundervolle Spiele, wundervolle Eintracht, wundervolle Glückseligkeit!

Aber am andern Morgen war er früh in seinem Comptoir. O, er war gar früh da. Wenn er nur dort hätte zuerst sein können und Bob Cratchit beim Zuspätkommen erwischen! Das war's, worauf sein Sinn stand! Und es gelang ihm wahrhaftig! Die Uhr schlug Neun. Kein Bob. Ein Viertel auf Zehn. Kein Bob. Er kam volle achtzehn und eine halbe Minute zu spät. Scrooge hatte seine Thür weit offen stehen lassen, damit er ihn in das Verließ kommen sähe.

Sein Hut war vom Kopfe, ehe er die Thür öffnete, auch der Shawl von seinem Halse. In einem Nu saß er auf seinem Stuhle und jagte mit der Feder übers Papier, als wollte er versuchen, neun Uhr einzuholen.

»Heda«, brummte Scrooge, so gut wie es ging, seine gewohnte Stimme nachmachend. »Was soll das heißen, daß Sie so spät kommen?«

»Es thut mir sehr leid, Sir«, sagte Bob. »Ich habe mich verspätigt.«

»Nun, Sie gestehen's«, wiederholte Scrooge. »Ich meine es auch. Hier herein, wenn's gefällig ist.«

»Es ist nur einmal im Jahre, Sir«, sagte Bob, aus dem Verließ hereintretend. »Es soll nicht wieder vorfallen. Ich war ein bißchen lustig gestern, Sir.«

»Nun, ich will Ihnen was sagen, Freundchen«, sagte Scrooge, »ich kann das nicht länger so mit ansehen. Und daher«, fuhr er fort, von seinem Stuhl springend und Bob einen solchen Stoß vor die Brust gebend, daß er wieder in das Verließ zurückstolperte, »und daher will ich Ihr Salär erhöhen!«

Bob zitterte und trat dem Lineal etwas näher. Er hatte einen augenblicklichen Gedanken, Scrooge eins damit auf den Kopf zu geben, ihn fest zu halten und die Leute im Hofe um Hilfe und eine Zwangsjacke anzurufen.

»Fröhliche Weihnachten, Bob!« sagte Scrooge, mit einem Ernst, der nicht mißverstanden werden konnte, indem er ihn auf die Achsel klopfte. »Fröhlichere Weihnachten, Bob, als ich Sie so manches Jahr habe feiern lassen. Ich will Ihr Salär erhöhen und mich bemühen, Ihrer Familie unter die Arme zu greifen. Wir wollen heut' Nachmittag bei einer Weihnachtsbowle dampfenden Punsches über Ihre Angelegenheiten sprechen, Bob! Schüren Sie das Feuer an und kaufen Sie eine andere Kohlenschaufel, ehe Sie wieder einen Punkt auf ein i machen, Bob Cratchit!«

Scrooge war besser als sein Wort. Er that alles und mehr noch, als er versprochen hatte; und für Tiny Tim, welcher nicht starb, wurde er ein zweiter Vater. Er wurde ein so guter Freund und so guter Mensch, wie nur die liebe alte City oder jede andere liebe alte Stadt oder Dorf in der lieben alten Welt je gesehen. Einige Leute lachten, ihn so verändert zu sehen, aber er ließ sie lachen und kümmerte sich wenig darum, denn er war klug genug, zu wissen, daß nichts Gutes in dieser Welt geschehen kann, worüber nicht von vornherein einige Leute lachen müssen; und da er wußte, daß derart Leute doch blind bleiben würden, dachte er bei sich, es ist besser, sie legen ihre Gesichter durch Lachen in Falten, als daß sie's auf weniger anziehende Weise thun. Sein eigenes Herz lachte und damit war er zufrieden.

Er hatte keinen fernern Verkehr mit Geistern, sondern lebte von jetzt an nach dem Prinzip gänzlicher Enthaltsamkeit; und immer sagte man von ihm, er wisse Weihnachten recht zu feiern, wenn es überhaupt ein Mensch wisse. Möge dies auch in Wahrheit von uns allen gesagt werden können! Und so schließen wir mit Tiny Tims Worten: Gott segne uns alle und jeden!

Biographie

1812 *7. Februar:* Charles John Huffam Dickens wird in 1 Mile End Terrance, Landport, in Portsea geboren (Taufname: Charles John Huffham), Sohn von John Dickens, einem Angestellten im Hafenbüro, tätig in der Portsmouther Werft, und Elizabeth Barrow. Seine Schwester Fanny wurde 1810 geboren. Die Familie zieht in die Hawkestraße, Portsmouth, um. Zwei andere Söhne (Alfred 1813, Frederick 1820) und zwei weitere Schwestern (Letitia 1816, Harriet 1819) werden geboren.

1814 Der Vater wird beruflich nach Somerset House in London gerufen. Die Familie wohnt in der Norfolkstraße 10.

1817 Die Familie zieht nach Ordnance Terrace 2 in Chatham, aufgrund von John Dickens' Gehaltserhöhung.

1821 Die Familie zieht zu einem kleineren Haus in St. Mary's Place, genannt »The Brook«.
Charles Dickens geht auf die Baptistenschule von Herrn Giles.

1822 Der Vater wird wieder nach Somerset House berufen. Die Familie zieht in die Bayhamstraße 16, Camden Town, um.

1823 Sie siedeln sich in der Gowerstraße 4 an. Elizabeth Dickens versucht, eine Schule für junge Damen zu gründen.

1824 *Februar:* Der Vater wird für Schulden verhaftet und bei Marshalsea eingesperrt. Die Familie (außer Charles und Fanny) schließt sich ihm an.
Charles Dickens wird angestellt, um an der Warren's Blacking Factory in Hungerford Market zu arbeiten. Er wohnt in der Little-College-Straße, aus der er in eine hintere Mansarde in der Lantstraße umzieht, um mehr in der Nähe seiner Eltern zu sein.
Mai: John Dickens wird freigelassen, weil er eine Erbschaft macht, das ihm ermöglicht, seine Schulden zu bezahlen. Die Familie wohnt in der Johnsonstraße, Somers Town. Charles Dickens setzt jetzt seine Erziehung an der Wellington House Academy, Hampstead Road, fort.

1825 Der Vater verlässt das Hafenbüro.

1827 *März:* Charles Dickens verlässt die Schule und findet eine Anstellung bei Charles Molloy, Anwalt, Symond's Inn.

	Mai: Er verlässt Molloy und findet Anstellung bei den Anwälten Ellis und Blackmore an, 1 Raymond Buildings, Gray's Inn. Die Familie ist wieder in finanzieller Not und zieht nach Polygon, Camden Town, um.
1828	Charles Dickens verlässt Ellis und Blackmore und lernt Kurzschrift, um Reporter zu werden. Sein Vater arbeitet an »The Mirror of Parliament«. Charles Dickens wird Reporter an »Doctor's Commons«.
1830	Charles Dickens etabliert sich als Kurzschriftschreiber in einem Einzimmerbüro in Bell Yard 5, Carter Lane. *8. Februar:* Er erwirbt eine Lesereintrittskarte für das Britische Museum. Er trifft die Familie Beadnell, und verliebt sich in Maria, die jüngste Tochter.
1831	Charles Dickens' Name erscheint in einer amtlichen Liste als Stenograph. Maria Beadnell wird nach Paris gesandt, um die Beziehung zu Charles zu beenden.
1832	*Februar:* Charles Dickens versucht, eine Anstellung als Schauspieler zu bekommen. Er erhält eine Stelle in der Besetzung von »The True Sun«. Er wird in die Galerie der Reporter des House of Commons aufgenommen. *Juli:* Charles Dickens arbeitet ausschließlich für »The Mirror of Parliament«.
1833	*Januar:* Die Familie zieht nach Bentinckstraße 18 im Dezember um: Dickens' erste Erzählung wird veröffentlicht, »A Dinner at Poplar Walk«, im »Monthly Magazine«.
1834	Dickens tritt der Besetzung der »Morning Chronicle« bei, einer liberal orientierten Zeitschrift. Er arbeitet mit Thomas Beard, einem Stenographen zusammen. Dieser Mann wird sein nächster Freund in der Zukunft sein.
1835	Dickens und sein Bruder, Frederick, ziehen nach Furnival's Inn um. *Mai:* Dickens wird mit Catherine, Tochter von George Hogarth, dem Redakteur von »The Evening Chronicle«, verlobt. Die letzten im »Monthly Magazine« veröffentlichten Stücke unterschreibt er mit »Boz«.
1836	*Februar:* Sein erstes Buch, »Sketches of Boz«, wird in 2 Bänden

von John Macrone verlegt.
März: Die erste Ausgabe der »Pickwick Papers« wird von Chapman and Hall veröffentlicht. Chapman and Hall werden Dickens' Hauptverlag bis 1844 sein.
2. April: Dickens heiratet Catherine Hogarth in der St. Luke Kirche, Chelsea. Sie verbringen ihre Flitterwochen bei Chalk.
Er verlässt die Common Gallery.
Seymour, ein Künstler von »Pickwick«, begeht Selbstmord, bevor die zweite Ausgabe erscheint. Hablôt Knight Browne (»Phiz«) wird als Illustrator angestellt.
Dezember: »Sketches of Boz«, zweite Serie, wird von John Macrone veröffentlicht. Die erste Gesamtausgabe (beide Serien enthaltend) wurde von Chapman and Hall in monatlichen Teilen von 1837 zu 1839 herausgegeben.

1837 *Februar:* Die erste Ausgabe von »Oliver Twist« wird in »Bentleys Miscellany« veröffentlicht.
Maria Hogarth, Catherines Schwester und nahe Freundin von Charles Dickens, stirbt plötzlich.
Er besichtigt Belgien mit seiner Ehefrau und »Phiz«.
Charles Culliford Boz, ihr erstes Kind, wird geboren.
November: Dickens beendet die Fortsetzungsgeschichte von »Pickwick Papers«, die in einem eigenen Band veröffentlicht wird.
Dezember: »The Village Coquette: operetta« wird von Richard Bentley veröffentlicht.
»The Strange Gentleman: farce« wird von Chapman and Hall gleichzeitig herausgebracht.
Dickens kauft das Copyright von »Sketches of Boz« von John Macrone für £2000 zurück.
»Mudfog Papers« erscheinen in »Bentleys Miscellany« (bis 1839).

1838 *April:* Erste Ausgabe von »Nicholas Nickleby«.
Dickens »editiert« die Memoiren von Joseph Grimaldi in 2 Bänden.
Maria, das zweite Kind, wird geboren.
November: »Oliver Twist« wird in 3 Bänden von Richard Bentley veröffentlicht.

1839 *April:* Letzte Ausgabe von »Oliver Twist«.
Oktober: Letzte Version von »Nicholas Nickleby« und seine

Veröffentlichung.
Kate Macready, das dritte Kind, wird geboren.
Dickens kauft ein Haus eine Meile von Exeter entfernt bei Alphington für seine Eltern.
Dezember: Er zieht nach Devonshire Terrace um.

1840 *April:* Die erste Ausgabe von »Master Humphrey's Clock« erscheint. Ab der vierten Ausgabe beginnt »Old Curiosity Shop« in Serien zu erscheinen.

1841 *Februar:* Erste Version von »Barnaby Rudge«. »Master Humphrey's Clock« wird in drei Bänden veröffentlicht, miteingeschlossen »Old Curiosity Shop« und »Barnaby Rudge«.
Walter Landor, das vierte Kind, wird geboren.

1842 *4. Januar:* Dickens geht nach Amerika.
7. Juni: Er segelt von New York nach England.
Oktober: »American Notes« wird veröffentlicht.

1843 *Januar:* Erste Ausgabe von »Martin Chuzzlewit«.
Dezember: »Christmas Carol«.

1844 *Februar:* Dickens hat einen Streit mit Chapman and Hall.
Juli: Die letzte Ausgabe von »Martin Chuzzlewit« erscheint. Es wird dann in einem Band veröffentlicht, nochmals von Chapman and Hall.
November: »The Chimes« wird abgeschlossen und veröffentlicht.
Francis Jeffrey, sein fünftes Kind, wird geboren.
Dickens wohnt in Italien (er besucht England nur kurz).

1845 *21. Januar – 9. Februar:* Dickens ist Redakteur von »The Daily News«.
Januar: Die erste Ausgabe einer Serie von sieben Briefen unter dem allgemeinen Titel »Travelling Sketches – Written on the Road« erscheint.
Oktober: Erste Ausgabe von »Dombey and Son«.
Weihnachten: »Cricket on the Hearth«.

1846 *Juni – Februar 1847:* Er bleibt bei Lausanne, dann in Paris.
Mai: Die »Travelling Sketches« werden gesammelt und nachgedruckt unter dem Titel »Pictures of Italy« mit fünf zusätzlichen Kapiteln. Eine Ausgabe wird für den Verfasser von Bradbury and Evans verlegt, der Dickens' Verleger bis zu seiner Rückkehr zu Chapman and Hall (1859) bleiben wird.
Weihnachten: »The Battle of Life«.

1847 Sydney Smith Haldimand, das siebte Kind, wird geboren.

1848 *April:* Letzte Ausgabe von »Dombey and Son« und Veröffentlichung in einem Band.
Weihnachten: »The Haunted Man«.

1849 *Februar:* Bei Brighton.
Mai: Erste Ausgabe von »David Copperfield«.
Henry Fielding, das achte Kind, wird geboren.
Dickens kauft ein Haus bei Bonchurch, Isle of Wight, für den Sommer für Ehefrau und Familie.
»The Life of Our Lord« wird für seine Kinder geschrieben. Es bleibt unveröffentlicht bis 1934.

1850 *März:* Erste Ausgabe von »Household Words«.
Juli: Er ist in Paris mit Daniel Maclise.
Dora Annie, sein neuntes Kind, wird geboren.
November: Letzte Ausgabe von »David Copperfield« und Veröffentlichung in einem Band.

1851 *Januar – September 1853:* Die Geschichte »A Child's History of England« wird in »Household Words« in Serienfolge und 1852 in drei Bänden veröffentlicht.
Februar: Dickens ist in Paris.
31. März: Sein Vater, John Dickens, stirbt.
November: Dickens geht nach Tavistock House.

1852 *März:* Erste Version von »Bleak House«.
Edward Bulwer Lytton, das zehnte Kind, wird geboren.

1853 Reise durch Italien und die Schweiz mit Ehefrau und Familie.
September: Letzte Ausgabe von »Bleak House« und Veröffentlichung in einem Band.
Sie verbringen den Sommerurlaub in Boulogne.
Oktober – Dezember: Dickens ist in der Schweiz mit Ehefrau und Familie.

1854 *April:* Erste Ausgabe von »Hard Times« veröffentlicht in »Household Words«.
August: Letzte Ausgabe von »Hard Times«. »Hard Times for these Times« wird veröffentlicht.
Die Familie verbringt den Sommerurlaub in Boulogne.

1855 Sommerurlaub in Boulogne.
Winter: Er wohnt in Paris.
Dezember: Erste Ausgabe von »Little Dorrit«.

Er reist nach Paris mit Wilkie Collins.
Dickens trifft mit Mrs. Winter zusammen (Maria Beadnell).

1856 *14. März:* Er kauft Gad's Hill Place.
Sommerurlaub in Boulogne.

1857 *6. Januar:* Erste der Aufführungen von »The Frozen Deep« von Collins, Prolog von Dickens, der auch die Rolle von Wardour spielt.
Juni: Letzte Ausgabe von »Little Dorrit« und Veröffentlichung in einem Band, in dem gleichen Monat.
Dickens ist im Lake District mit Wilkie Collins.

1858 *April – Juli:* Die erste Reihe von öffentlichen Vorlesungen fängt bei St. Martins Halle, London, an.
2. August – 13. November: Dem folgen Lesungen in der Provinz.
Mai: Dickens trennt sich von seiner Ehefrau.

1859 Dickens bricht seine Beziehung mit »Punch« und auch seine Verbindung mit Bradbury and Evans ab. Er geht zu Chapman and Hall zurück. Die erste Ausgabe von »All The Year Round« erscheint.
Mai: Die letzte Nummer von »Household Words« (»A Last Household Word«) erscheint.
April – November: »A Tale of two Cities« erscheint in »All The Year Round«.

1860 Dickens geht von Tavistock House zu Gad's Hill Place.
Januar: Erste Ausgabe von »The Uncommercial Traveller«.
17. Juli: Kate, seine Tochter, vermählt sich mit Charles Allston Collins.
August: Letzte Ausgabe von »The Uncommercial Traveller«.
Dezember: »The Uncommercial Traveller« wird veröffentlicht, und die erste Ausgabe von »Great Expectations« erscheint in »All The Year Round«.

1861 *August:* Letzte Ausgabe von »Great Expectations«. Es wird in drei Bänden veröffentlicht, später im gleichen Jahr dann in einem Band.
28. Oktober: Die Zweite Reihe von Lesungen fängt in Norwich an.

1862 *Januar:* Die zweite Reihe von Lesungen in der Provinz wird beendet.
Oktober und November: Er bleibt in Paris.

1864	*Mai:* Erste Ausgabe von »Our Mutual Friend«. *Februar – Juni:* Dickens wohnt im Hyde Park Gebiet. Die dritte Reihe von Lesungen fängt an.
1865	*November:* Letzte Ausgabe von »Our Mutual Friend« und Veröffentlichung in zwei Bänden. Dickens ist mit Ellen Ternan in einem Zug nach einem Besuch in Paris. Der Zug entgleist. Dickens' privates Leben gerät so wieder ins Rampenlicht.
1867	Die zweite Reise von Dickens nach Amerika.
1868	*Mai:* Dickens kommt aus Amerika nach Hause zurück. *Oktober:* Die vierte Reihe von Lesungen fängt an. *6. Oktober:* Beginn der Abschiedsreise.
1869	Ende der Lesungen. Dickens Gesundheit ist schlecht, und er erkrankt bei Preston.
1870	*15. März:* Er hält seine letzte Vorlesung. *April:* Erste Ausgabe von »Edwin Drood«. *9. Juni:* Charles Dickens stirbt in Gad's Hill. *14. Juni:* Er wird bei Westminster Abbey unter Landestrauer beerdigt.

Lightning Source UK Ltd.
Milton Keynes UK
UKHW022315271220
375877UK00003B/271